A VISÃO CELESTINA

OBJETIVA

JAMES REDFIELD

A VISÃO CELESTINA

Tradução de
Eliana Sabino

Cynthia F. Leal
05/99

OBJETIVA

Título original
THE CELESTINE VISION – LIVING THE NEW
SPIRITUAL AWARENESS

Direitos em língua portuguesa para o Brasil adquiridos por
acordo com Warner Books, Inc., New York, New York, USA
por EDITORA OBJETIVA LTDA.,
rua Cosme Velho, 103
Rio de Janeiro – RJ – CEP: 22241-090
Tel.: (021) 556-7824 – Fax: (021) 556-3322
INTERNET: http://www.objetiva.com

Capa
Mello & Mayer

Foto do Autor
Jay Blakesberg

Revisão
Fátima Jorge Fadel
Tereza de Fátima da Rocha
Neusa Peçanha

1998

Para todos aqueles que sustentam a visão.

AGRADECIMENTOS

As pessoas que orientaram a evolução de A Visão Celestina *são numerosas demais para que eu possa agradecer individualmente aqui. É preciso, porém, mencionar John Diamond e Beverly Camhe por seus instintos estratégicos; John Winthrop Austin por sua pesquisa incansável; Claire Zion por seu cuidadoso trabalho de edição; e Salle Merrill Redfield por seu continuado apoio. Desejo acima de tudo agradecer às corajosas almas do passado e do presente, que deram à luz as verdades que trazem o nosso despertar.*

SUMÁRIO

PREFÁCIO

OBSERVANDO A TRANSFORMAÇÃO

NÃO É NECESSÁRIO O mistério de um novo milênio para nos convencer de que algo está mudando na consciência humana; os sinais estão em toda parte, para aqueles que conseguem perceber. As pesquisas mostram um interesse crescente no misticismo e no mistério; futurólogos respeitados vêem uma busca global da satisfação e do sentido interior.[1] E as expressões gerais da cultura — livros, documentários para a televisão, o conteúdo dos noticiários — refletem um crescente clamor pelo retorno à qualidade e à integridade, assim como pela reconstrução de um senso de ética baseado na comunidade.

Ainda mais importante: podemos sentir que algo está mudando na qualidade da nossa própria experiência. Parece que o nosso foco está se afastando das discussões abstratas a respeito da teoria ou do dogma espiritual e buscando alguma coisa mais profunda: a verdadeira percepção do espiritual à medida que ele ocorre na nossa vida cotidiana.

Quando me perguntam sobre a popularidade dos meus dois primeiros romances, *A Profecia Celestina* e *A Décima Profecia*, respondo sempre que essa aceitação é apenas um reflexo do reconhecimento disseminado das experiências espirituais específicas que aqueles livros relatam.

Parece que cada vez mais pessoas estão tomando consciência das coincidências significantes que ocorrem todos os dias. Alguns desses acontecimentos são fenomenais e excitantes; outros são triviais e quase imperceptíveis — mas todos eles nos dão provas de que não estamos sós, de que algum processo espiritual misterioso está influenciando nossa vida. Uma vez tendo experimentado a sensação de inspiração e de entusiasmo que essas percepções evocam, é quase impossível não atentar para elas. Começamos a prestar atenção a esses acontecimentos, a esperá-los e a procurar ativamente uma compreensão filosófica mais elevada da sua ocorrência.

Ambos os meus romances são o que chamo de parábolas de aventura. Foram o meu modo de ilustrar o que acredito ser uma nova consciência espiritual que está empolgando a humanidade. Nas aventuras tentei descrever as revelações pessoais que cada um de nós parece estar alcançando à medida que nossa consciência se expande. Escritas como ficção e baseadas em minhas próprias experiências, essas revelações poderiam facilmente ser retratadas dentro de um enredo específico e por um grupo de personagens, como se estivessem acontecendo no mundo real.

Nesse papel, sempre me considerei um cronista ou um comentarista social, tentando documentar e ilustrar experimentalmente as mudanças específicas que acredito já estarem ocorrendo no *ethos* humano. Aliás, acredito que essa evolução continua a progredir, à medida que a cultura vai alcançando uma visão espiritual cada vez maior. Estão planejados pelo menos mais dois romances da série *Celestina.*

Escolhi para este livro a forma de não-ficção por achar que, como seres humanos, estamos num lugar muito especial em relação a essa crescente tomada de consciência. Todos nós parecemos vislumbrá-la, e até mesmo vivenciá-la por algum tempo, e então, por motivos que discutiremos neste livro, muitas vezes nos desequilibramos e temos que nos esforçar para recuperar nossa perspectiva espiritual. Este livro fala do modo de lidar com esses desafios, e o segredo, creio eu, está na nossa capacidade de debater uns com os outros, da maneira mais aberta e honesta possível, aquilo que estamos realmente sentindo.

Felizmente parece que ultrapassamos um importante estágio nesse sentido: aparentemente, hoje a maioria de nós está falando de experiências espirituais sem constrangimento ou medo de críticas. Os céticos ainda são muitos, mas o equilíbrio da opinião geral parece ter se modificado, de modo que aquela antiga reação automática de zombaria já não é tão comum. Antes costumávamos esconder dos outros as nossas experiências de sincronicidade, e até descartá-las para nós mesmos, por medo de sermos ridicularizados. Hoje, num intervalo que parece ter sido de uns poucos anos, a balança pende para o outro lado, e aqueles que se mostram demasiado preconceituosos são reprovados por seu ceticismo.

Acredito que a opinião pública esteja mudando, porque um número suficiente de pessoas conscientizou-se de que esse ceticismo extremado nada mais é do que um velho hábito formado por séculos de submissão à visão newtoniana-cartesiana do mundo. Sir Isaac Newton foi um grande físico — porém, conforme declararam vários pensadores contemporâneos,[2] ele amesquinhou o universo ao reduzi-lo a um mecanismo material que funciona segundo leis mecânicas inalteráveis. O filósofo do século XVII René Descartes precedeu Newton ao popularizar a idéia de que tudo que precisamos saber sobre o universo são as suas leis básicas, e que, embora esse mecanismo possa ter sido colocado em movimento por um criador, ele agora funciona totalmente por si.[3] Depois de Newton e Descartes, passou a ser descartada de imediato qualquer afirmação de que existe uma força espiritual ativa no universo ou de que a experiência espiritual superior é algo mais do que uma alucinação.

Neste livro veremos que essa antiga visão mecanicista do mundo tem sido desmentida desde as primeiras décadas do século XX, principalmente através da influência de Albert Einstein, dos pioneiros da física quântica e das mais recentes pesquisas sobre a oração e a intenção. Mas os preconceitos da visão mecanicista do mundo perduram na nossa consciência, protegidos por um ceticismo extremado que serve para ocultar as percepções espirituais mais sutis que desafiariam as suas teorias.

É importante compreender como isso funciona. Na maioria dos casos, para termos uma experiência espiritual superior, precisamos pelo menos estar abertos à possibilidade de que tal percepção existe. Sabemos agora que, para experimentar os fenômenos espirituais, é necessário suspendermos ou "enquadrarmos" o ceticismo e tentarmos, de todas as maneiras possíveis, ficar abertos a eles. Como está expresso nas Escrituras, precisamos "bater à porta" antes de podermos sequer detectar essas experiências espirituais.

Se abordarmos a experiência espiritual com a mente fechada ou cheia de dúvidas, nada perceberemos, e assim provaremos a nós mesmos, errônea e repetidamente, que a experiência espiritual superior é um mito. Durante séculos, descartamos essas percepções, não porque não fossem reais, e sim porque então não queríamos que elas fossem reais: elas simplesmente não cabiam na nossa visão materialista do mundo.

À frente, veremos com mais detalhes que essa atitude cética ganhou supremacia no século XVII, porque a agonizante visão medieval do mundo que precedeu essa atitude era repleta de teorias fabricadas, charlatães em busca de poder, bruxarias e a salvação à venda, e todo tipo de insanidade. Nesse cenário, as pessoas que refletiam ansiavam por uma descrição científica e estabelecida do universo físico que passasse por cima de todo esse contra-senso. Queríamos ver o mundo à nossa volta como confiável e natural. Queríamos nos livrar de toda superstição e todo mito, e criar um mundo onde pudéssemos desenvolver a segurança econômica sem temer que coisas estranhas e sinistras surgissem das trevas para nos assustar. É compreensível que essa necessidade nos tenha levado a iniciar a Idade Moderna com uma visão do mundo exageradamente materialista e simplificada.

Não é exagero dizer que jogamos fora o trigo junto com o joio: a vida na era moderna começou a parecer vazia da inspiração que apenas o sentido espiritual mais elevado pode prover. Até mesmo as nossas instituições religiosas foram afetadas; com demasiada freqüência, os milagres da mitologia religiosa foram reduzidos a metáforas, e as igrejas passaram a significar mais a união social, os ensinamentos morais e a crença intelectual do que a busca da experiência espiritual real.[4]

No entanto, através da nossa percepção da sincronicidade e de outras experiências espirituais no momento histórico atual, estamos nos ligando uns aos outros com uma espiritualidade genuína que sempre fez parte do nosso potencial. Em certo sentido, essa consciência nem sequer é nova; é o mesmo tipo de experiência que alguns seres humanos têm tido ao longo da História, documentada por todo um elenco de escritores e artistas em todo o mundo, entre os quais William James, Carl Jung, Thoreau e Emerson, Aldous Huxley (que chamou de Filosofia Perene esse conhecimento) e, em décadas recentes, George Leonard, Michael Murphy, Fritjof Capra, Marilyn Ferguson e Larry Dossey.[5]

No entanto, a escala em que essas experiências estão agora penetrando na consciência humana é inteiramente nova: hoje são tantas as pessoas que têm experiências espirituais pessoais, que estamos construindo nada menos que uma nova visão do mundo, que inclui e amplia o velho materialismo e o transforma em algo mais evoluído.

A mudança social a que estamos nos referindo não é uma revolução em que as estruturas da sociedade sejam demolidas e reconstruídas à medida que uma ideologia subjuga outra; o que está acontecendo hoje é uma mudança interior pela qual primeiramente muda o indivíduo, e as instituições de cultura humana parecem mais ou menos as mesmas, porém são rejuvenescidas e transformadas por causa da nova visão daqueles que as sustentam.

No desenrolar dessa transformação, é provável que a maioria de nós mantenha a mesma linha geral de trabalho, as famílias que amamos e as religiões que consideramos verdadeiras. Mas a nossa visão do modo como deveriam ser vividos e sentidos o nosso trabalho, a nossa família e a nossa vida religiosa se transforma drasticamente à medida que incorporamos as experiências superiores que percebemos, e agimos de acordo com elas.

Como já disse, percebo que essa transformação de consciência está atingindo a cultura humana através de uma espécie de contágio social positivo. Uma vez que um número suficiente de pessoas passe a vivenciar abertamente essa consciência e a discuti-la livremente, outras pessoas tomarão contato com ela e perceberão de imediato que essa consciência lhes permitirá viver exteriormente uma porção maior daquilo que, por intuição, conhecem interiormente. Outras pessoas, por sua vez, aprenderão com elas essa nova atitude, tomando contato por si próprias com essas mesmas — e outras — descobertas, e passarão também a desempenhar o papel de modelos.

É este o processo de evolução social e de construção de consenso no qual todos nós estamos engajados nestes anos finais do século XX. Deste modo estamos criando, acredito, um modo de viver que um dia irá dirigir o próximo século e o próximo milênio. O propósito deste livro é investigar mais diretamente as experiências que tantos de nós estamos compartilhando, revisar a história do nosso despertar e examinar de perto os desafios inerentes a esse modo de viver todos os dias.

Espero que este livro confirme a realidade oculta por trás da informação ilustrada nos dois primeiros romances da série *Celestina*, e, embora longe de ser completo, ajude a esclarecer ainda mais a nossa imagem da nova consciência espiritual que já está se formando no mundo.

— *J. R.*
Verão de 1997

1

As Primeiras Intuições

Creio que a nossa nova consciência espiritual tenha começado a emergir no final da década de 50, quando, em pleno apogeu do materialismo moderno, alguma coisa bem profunda começou a acontecer na nossa psique coletiva. Como se, tendo chegado ao apogeu de séculos de conquistas materiais, tivéssemos feito uma pausa para nos perguntarmos: "E agora?". Parece ter havido uma intuição em massa de que *algo mais* era possível na vida humana, que seria possível atingir uma sensação de realização mais intensa do que aquela que a nossa cultura tinha sido capaz de articular e vivenciar.

A primeira coisa que fizemos com a nossa intuição, naturalmente, foi olhar para nós mesmos — ou melhor, para as instituições e os estilos de vida que encontrávamos na cultura que nos rodeava — com uma espécie de reprovação angustiada. Conforme já foi bastante descrito, o clima emocional da época era rígido e orientado por um sistema de classes: judeus, católicos e mulheres tinham dificuldade em alcançar posições de liderança, ao passo que os negros e outras minorias étnicas eram completamente excluídos. E o resto da sociedade afluente padecia de um caso grave de inclinações materialistas.

Com o sentido da vida reduzido a uma questão de economia material, conseguia-se *status* através da aparência de sucesso, dando margem a todos os ridículos esforços para cada um mostrar-se melhor do que o seu vizinho. Na maioria de nós foi instilada uma implacável orientação para o exterior, que fazia com que nos julgássemos sempre segundo o que os outros poderiam pensar. E ansiávamos por uma sociedade que pudesse de alguma forma liberar o nosso potencial.

A Década de 60

Assim, nós primeiro exigimos *mais* da nossa cultura, o que levou aos vários movimentos reformistas que caracterizaram a década de 60. Rapidamente surgiram muitas iniciativas jurídicas buscando a igualdade racial e sexual, a proteção do meio ambiente, até mesmo em oposição à desastrosa guerra não-declarada no Vietnã. Hoje conseguimos enxergar que, debaixo do torvelinho, a década de 60 representou a primeira divergência em massa — a primeira "rachadura no ovo cósmico", como denominou Joseph Chilton Pearce — da visão materialista do mundo então dominante.[1] A cultura ocidental e, até certo ponto, a cultura humana em geral estavam começando a enxergar além da orientação materialista, para buscar um sentido filosófico mais profundo para a vida.

Começamos a sentir, em escala maior que nunca, que a nossa consciência e a nossa experiência não precisavam ser cerceadas pelo enfoque limitado da era material, e que todos deveríamos estar funcionando e interagindo num nível mais elevado. Sabíamos, mais profundamente do que poderíamos explicar, que existia alguma forma de nos libertarmos e nos tornarmos seres humanos mais criativos, vivos e livres.

Infelizmente os nossos primeiros atos refletiram o espírito de competição da época: olhávamos uns para os outros e para as várias instituições que nos desagradavam, e exigíamos que as estruturas sociais se reformassem. Em essência, olhávamos para a sociedade ao nosso redor e dizíamos uns para os outros: "Você devia mudar."

Embora essa forma de ativismo tenha certamente levado a reformas legais básicas muito úteis, ela deixou intocados os problemas mais pessoais de insegurança, medo e ambição que sempre estiveram no cerne do preconceito, da desigualdade e da destruição do meio ambiente.

A Década de 70

Quando os anos 70 chegaram, começávamos a compreender esse problema. Como veremos mais tarde, a influência dos modernos psicólogos, a nova abordagem humanista da terapia e a crescente presença da literatura de auto-ajuda no mercado começaram a penetrar na cultura.[2] Percebemos que estávamos exigindo que os outros mudassem e, ao mesmo tempo, ignorávamos os conflitos dentro de cada um de nós mesmos. Começamos a tomar consciência de que, se quiséssemos encontrar aquele *algo mais* que buscávamos, teríamos que olhar para além do comportamento dos outros — olhar para dentro. Para mudar o mundo, teríamos que nos mudar primeiro.

Quase que da noite para o dia, o ato de procurar um terapeuta perdeu seu estigma negativo; tornou-se aceitável, e até mesmo elegante, explorar ativamente as profundezas da nossa psique. Descobrimos que, como os freudianos já sabiam, uma revisão dos primórdios da nossa história familiar criava muitas vezes uma espécie de visão ou catarse a respeito das nossas ansiedades e defesas individuais, e das circunstâncias em que esses complexos originaram-se na infância.[3]

Através desse processo, conseguíamos identificar maneiras pelas quais nos encontrávamos defasados ou reprimidos. Imediatamente constatamos que essa introspecção, essa análise da nossa história pessoal, era útil e importante. No entanto, terminamos por constatar que ainda faltava alguma coisa; percebemos que, mesmo passando anos analisando a nossa psique interior, as nossas antigas reações e explosões voltavam cada vez que estivéssemos em situações de alta ansiedade e insegurança.

Quando a década de 70 chegou ao fim, tínhamos percebido que o *algo mais* que a nossa intuição buscava não poderia ser encontrado apenas através da terapia; aquilo que estávamos intuindo era uma nova consciência, um novo sentido do Eu e um fluxo de experiência mais elevado, que substituísse os velhos hábitos e reações que nos dominavam. A vida mais plena que intuíamos não envolvia apenas o mero crescimento psicológico; a nova consciência requeria uma transformação mais profunda, que só poderia ser chamada de espiritual.

As Décadas de 80 e 90

Na década de 80, essa visão parecia nos levar a três direções. A primeira foi marcada por um retorno às religiões tradicionais; muitos de nós, com renovado impulso de envolvimento, passaram a reler as Escrituras e a participar dos rituais religiosos da nossa tradição, procurando a resposta para a sua intuição num estudo mais aprofundado dos caminhos espirituais tradicionais.

A segunda direção foi uma busca espiritual mais geral e pessoal, que nós mesmos direcionávamos e na qual procurávamos lograr uma compreensão melhor dos caminhos espirituais mais esotéricos, encontrados ao longo da História.

A terceira direção foi a fuga total ao idealismo ou à espiritualidade: decepcionados com a introspecção das décadas de 60 e 70, muitos de nós queriam recapturar o materialismo anestesiado dos anos 50, quando a vida econômica parecia ser por si só suficiente. No entanto, essa tentativa de usar as recompensas materiais como substituto para aquele sentido mais elevado da vida intuído por nós conduzia-nos apenas a uma pressão interior para o enriquecimento. Os escândalos das instituições financeiras e do mercado de valores são exemplos dos excessos típicos da década de 80.

Sempre considerei um retorno ao Oeste Selvagem as convulsões e os confrontos entre essas três tendências da década de 80 — a tentativa de voltar ao materialismo e a renovada curiosidade espiritual através das religiões tradicionais e não-tradicionais. Tratavam-se, como vemos agora em retrospecto, de tentativas de encontrar o *algo mais* que sentíamos estar bem perto de nós. Nós colecionávamos experiências, fingíamos, disputávamos atenção, levando muita coisa do que fazíamos ao nível de um modismo superficial e, no final, acabamos decepcionados.

No entanto acredito que tudo que aconteceu na década de 80 foi importante, especialmente esse despertar do interesse em massa pelos diversos caminhos espirituais. Foi um passo necessário, que nos deixou cansados da estimulação e do comercialismo e nos levou a um nível mais profundo. De certo modo, foi um vazio que nos levou a procurar a substância real, e nos convenceu finalmente de que aquilo que procurávamos era uma mudança mais profunda nas nossas atitudes e no nosso modo de ser.

Creio, aliás, que a intuição coletiva da década de 80 tinha a forma de uma mensagem básica: não importava se estávamos estudando a espiritualidade de nossas religiões tradicionais ou as experiências descritas pelos místicos de um caminho mais esotérico, existia uma profunda diferença entre o fato de conhecermos e debatermos a percepção espiritual e o fato de realmente experimentarmos nós mesmos essas percepções.

No início da década de 90, portanto, nós nos encontrávamos num lugar muito importante: tínhamos percebido claramente que, se a nossa intuição da década de 60 estava correta e era mesmo possível ter uma vida mais plena, precisávamos ultrapassar a mera consideração intelectual e encontrar a experiência real. Como resultado, o modismo desapareceu, mas a busca da experiência real sobreviveu. É por isso que a nossa abertura para a espiritualidade atinge agora um novo patamar de autenticidade e debate.

Foi nesse cenário que *A Profecia Celestina*, *A Décima Profecia* e uma porção de outros livros tratando da verdadeira percepção espiritual foram publicados e lidos por milhões de pessoas em todo o mundo. Esses livros chegaram ao grande público exatamente porque procuravam descrever em termos reais os nossos anseios espirituais, orientando-nos para experiências que estavam ao nosso alcance.

Na década de 60, o idealismo prevalente na época me levara a trabalhar com adolescentes problemáticos e seus familiares, primeiro como terapeuta e depois como administrador. Revendo agora aquele trabalho, noto uma profunda relação entre aquelas experiências e a posterior criação da série *Celestina*. Trabalhando com aqueles jovens que haviam sofrido graves agressões na infância, comecei a enxergar com mais amplitude tudo o que eles tinham que superar. Para sanar aquilo que lhes acontecera, eles precisavam embarcar numa viagem particular que, em certo sentido, deveria incluir o transcendental.

A ansiedade provocada pelas agressões sofridas faz nascer nas crianças uma grande necessidade de controlar a própria vida; elas criam dramas, às vezes graves e autodestrutivos, para dar a si mesmas um sentido, e assim reduzir essa ansiedade. Pode ser extremamente difícil romper o padrão desses dramas, mas os terapeutas obtiveram sucesso possibilitando aos adolescentes a vivência de momentos de sucesso, seja em esportes, interações grupais, meditação ou outras atividades. Essas atividades são planejadas para promover a experiência do Eu superior, para que ele possa tomar o lugar da antiga identidade e seus padrões de reação.

Até certo ponto cada um de nós sofre, de um modo ou de outro, a mesma espécie de ansiedade sentida pelas crianças agredidas. Na maioria dos casos, felizmente, essa ansiedade tem um grau menor, e os nossos padrões de reação não são tão extremados, mas o processo, o crescimento que ele envolve, é exatamente o mesmo. Ao observar este fato durante o meu trabalho, vi com mais clareza aquilo pelo qual toda a cultura parecia estar passando: o conhecimento de que a vida cotidiana parecia carecer de alguma coisa que poderia ser alcançada através de uma experiência interior de transformação, uma mudança verdadeira no modo de percebermos nós mesmos e a vida, produzindo uma identidade pessoal mais elevada, mais espiritual. O esforço para descrever essa viagem psicológica tornou-se a base de *A Profecia Celestina.*

CELESTINA

A Profecia Celestina foi escrita de janeiro de 1989 até abril de 1991, e foi um processo caracterizado por uma espécie de sistema de tentativa-e-erro. Era espantoso perceber que, à medida que eu recordava experiências anteriores e as colocava numa história de aventura, ocorriam incríveis coincidências que realçavam os conceitos que eu queria passar — livros que me caíam nas mãos misteriosamente, ou encontros no momento exato com o tipo de pessoa que eu estava tentando descrever. Às vezes, pessoas desconhecidas abriam-se para mim sem razão aparente, e me contavam suas experiências espirituais. Compelido a lhes dar meus originais para que os lessem, constatei que as reações delas sempre sugeriam a necessidade de revisão ou de expansão.

O sinal de que o livro estava quase pronto veio quando muitas dessas pessoas começaram a pedir cópias dos originais para seus amigos. A minha primeira tentativa de encontrar uma editora não teve sucesso, e deparei com a primeira daquelas que hoje chamo de muralhas de tijolos. As coincidências cessaram de todo, e eu me sentia atolado. Nesse momento, comecei finalmente a aplicar aquilo que julgo ser uma das verdades mais importantes da nova percepção. Tratava-se de uma atitude que eu conhecia e tinha experimentado antes, mas que ainda não estava suficientemente integrada à minha consciência para ser utilizada numa situação de tensão.

Eu estava interpretando a total falta de oportunidade de publicação como um fracasso, um acontecimento negativo, e foi essa interpretação que fez cessarem as coincidências que eu sentia que vinham me levando para a frente. Quando percebi o que estava acontecendo, passei a ficar atento e fiz mais revisões no livro, enfatizando isso. E na minha própria vida eu sabia que tinha que tratar esse acontecimento como trataria qualquer outro. Qual era o significado dele? Onde estava a mensagem?

Dias depois, uma amiga mencionou ter travado conhecimento com um indivíduo que se mudara recentemente para a nossa área, vindo de Nova York, onde durante muitos anos tinha trabalhado numa editora. Instantaneamente imaginei-me indo procurá-lo, numa intuição que continha um profundo sentimento de inspiração. No dia seguinte, fui até ele, e as coincidências retornaram. Ele me contou que estava pretendendo trabalhar agora com pessoas que estivessem planejando autopublicar-se, e que, diante do grande número de elogios que meus originais estavam recebendo, ele achava que isso poderia funcionar.

Pouco depois, estávamos novamente prontos para a publicação e eu tinha conhecido Salle Merrill, que trouxe consigo o ponto de vista da sensibilidade feminina e uma oportuna ênfase na importância do ato de doar. Da primeira edição de 3.000 exemplares, enviamos pelo correio ou doamos pessoalmente 1.500 a pequenas livrarias e a pessoas no Alabama, na Flórida, na Carolina do Norte e na Virgínia.

As recomendações dos primeiros leitores a seus amigos fizeram o resto: dentro de seis meses as edições alcançavam 100 mil exemplares, que eram vendidos em todos os 50 estados, e surgiram edições em vários países. Tantos exemplares vendidos em tão curto prazo não se deve a qualquer publicidade que eu tenha feito, mas sim ao fato de que, em toda parte, as pessoas começaram a dar o livro de presente aos amigos.

Indo ao Encalço dos Nossos Sonhos

Mencionei esse episódio para ilustrar o modo como a nossa nova consciência espiritual torna reais os sonhos — uma experiência que sempre esteve no coração do esforço humano em toda parte. O universo realmente parece funcionar como uma plataforma para a realização das nossas aspirações mais profundas e intensas. É um sistema dinâmico, impulsionado por nada menos que o fluxo constante de pequenos milagres. Mas há uma condição: o universo é planejado para responder à nossa consciência, mas ele nos dará de volta apenas o nível de qualidade que nós apresentarmos. Assim, o processo de descobrir quem somos e o que temos a fazer aqui, e aprender a acompanhar as misteriosas coincidências que podem nos guiar, depende, em grande parte, da nossa capacidade de permanecermos positivos e de encontrarmos o lado bom de todos os acontecimentos.

Viver a nova consciência espiritual é uma questão de passar por uma série de passos ou revelações. Cada passo amplia a nossa perspectiva, mas cada passo apresenta também seus próprios desafios. Não basta simplesmente enxergarmos cada nível de consciência expandida; precisamos ter a intenção de vivê-lo, de integrar à nossa rotina cotidiana cada parte dessa consciência. Uma única interpretação negativa basta para interromper tudo.

Nas páginas seguintes, vamos examinar esses passos, não apenas em termos de experiência interior, mas também com a perspectiva de mantê-los firmes em nossas vidas e colocá-los em prática de maneira eficaz.

2

Vivendo as Coincidências

A QUALQUER MOMENTO podem acontecer coincidências significativas. Podemos estar mergulhados no nosso dia-a-dia quando, aparentemente sem aviso, um acontecimento casual nos chama a atenção. Podemos nos lembrar de um velho amigo em quem há anos não pensávamos e no dia seguinte, já tendo esquecido totalmente essa lembrança, esbarrarmos com ele; do mesmo modo, podemos conhecer no trabalho uma pessoa que gostaríamos de ver novamente, e na hora do almoço a encontrarmos na mesa ao lado no restaurante.

As coincidências podem se dar através da chegada oportuna de alguma informação que desejamos, mas que não temos a menor idéia de onde conseguir, ou a percepção súbita de que a nossa experiência com algum passatempo ou interesse antigo era na realidade uma preparação para conseguirmos um trabalho ou uma oportunidade. Não importam os detalhes da coincidência, sentimos que ela é improvável demais para ser resultado da sorte ou de um mero acaso. Quando uma coincidência nos chama a atenção, nós nos sentimos, mesmo que por um instante, impressionados pelo que aconteceu; de alguma forma sentimos que esses acontecimentos estavam fadados a ocorrer, estavam *destinados* a acontecer exatamente quando aconteceram, para mudar a nossa vida, dando-lhe uma direção nova e mais inspiradora.

Abraham Lincoln descreveu por escrito uma coincidência desse tipo, que aconteceu na sua juventude. Na época, Lincoln sentia que tinha algo mais a fazer na vida do que ser fazendeiro ou artesão, como os outros moradores da sua comunidade no Illinois. Um dia, ele encontrou um vendedor ambulante que, visivelmente, passava por momentos difíceis e que lhe pediu que comprasse por um dólar um velho barril cheio de mercadorias, na maior parte sem valor. Lincoln poderia muito bem ter rechaçado o vendedor falido, mas em vez disso deu-lhe o dinheiro e guardou as mercadorias. Só mais tarde, ao limpar o barril, foi que Lincoln encontrou, em meio a latas e ferramentas velhas, uma coleção completa de livros jurídicos, nos quais estudou para se tornar advogado e seguir seu notável destino.[1]

O psicólogo suíço Carl Jung foi o primeiro pensador moderno a definir esse misterioso fenômeno. Ele o chamou de "sincronicidade" — a percepção da coincidência significante. Jung afirmava que a sincronicidade era um princípio sem causa no universo, uma lei que funcionava para mover os seres humanos na direção de um crescimento maior da sua consciência.[2]

Jung testemunhou um ótimo exemplo de sincronicidade durante uma de suas sessões de terapia. Sua paciente era uma senhora exageradamente decorosa que estava tendo problemas com seu comportamento obsessivo. Jung estava investigando os sonhos dela, tentando ajudá-la a entrar em contato com o lado leve, brincalhão e intuitivo da sua própria natureza. Os sonhos mais recentes envolviam um escaravelho, mas ela resistia totalmente a qualquer tentativa de interpretação. Exatamente nesse instante Jung ouviu um barulho na janela e, ao abrir as cortinas, avistou, no lado de fora da mesma, um escaravelho, inseto muito raro naquela região. Segundo Jung, o episódio impressionou tanto a paciente, que ela começou a fazer grandes progressos no tratamento.[3]

Poucos de nós conseguem olhar para o passado sem distinguir um padrão de sincronicidade nos acontecimentos misteriosos que concorreram para nos trazer à nossa carreira atual, ao nosso cônjuge atual, ou à rede de amizades e alianças nas quais confiamos; muito mais difícil, porém, é a percepção desses acontecimentos no presente, na ocasião em que eles acontecem. Já vimos que as coincidências podem ser impressionantes, mas também podem ser muito sutis e fugazes, e assim facilmente descartadas como mera casualidade — como mandava a antiga visão materialista.

O nosso desafio pessoal é vencer o condicionamento cultural que nos leva a reduzir nossa vida ao corriqueiro, ao prosaico, ao não-misterioso. Com algumas exceções, aprendemos a levar a vida apenas com o ego, acordando pela manhã com a sensação de que precisamos colocar nosso dia sob controle total: fazemos implacáveis listas mentais de projetos que tencionamos levar a cabo, e perseguimos esses projetos com uma espécie de antolhos que limitam a nossa visão; no entanto, o mistério está sempre ali, dançando na fímbria de nossa vida, dando-nos fugazes relances de suas possibilidades. Precisamos refrear nosso ritmo e mudar nosso enfoque, e começar a aproveitar as oportunidades que surgem em nosso caminho.

Os Sonhos Noturnos

De todas as experiências de sincronicidade que podemos ter, os sonhos noturnos são talvez as mais nebulosas e difíceis de interpretar. No entanto a nossa cultura sempre foi fascinada por esses encontros noturnos; eles são o material de mitologia e profecia, e sabemos que, em certo nível, são importantes na nossa vida. Mas como?

Geralmente os sonhos são histórias, embora muitas vezes tomem a forma de acontecimentos sem sentido e personagens estranhos, reunindo pessoas e cenas de maneiras que jamais poderiam acontecer na vida real. Por este motivo a maioria de nós logo perde o interesse em tentar interpretá-los. As imagens são difíceis demais, portanto descartamos essa confusão de cenas como algo praticamente inútil, e nos dedicamos aos nossos afazeres.

Mas os especialistas que trabalham com sonhos nos aconselham a não desistirmos cedo demais.[4] Eles afirmam que os sonhos contêm importantes significados escondidos em seu simbolismo. Um breve exame dos muitos livros sobre sonhos, encontrados no mercado, pode fornecer uma visão geral do simbolismo dos sonhos, que consiste nos significados mitológicos ou arquetípicos que podem ser atribuídos aos vários elementos do sonho — desde animais até atos de assassinato, fuga ou roubo.

No entanto, acredito que o segredo para se descobrir a sincronicidade dos sonhos é ultrapassar a interpretação padronizada desses símbolos e enfocar o quadro total: o significado que rodeia o enredo e os personagens do sonho. Aqui podemos encontrar mensagens de natureza mais pessoal, que muitas vezes dizem respeito diretamente a situações específicas que enfrentamos na vida.

Por exemplo: se sonhamos que estamos numa guerra, fugindo de uma batalha, e no prosseguimento do sonho descobrimos um modo qualquer não apenas de sobreviver, mas de ajudar a terminar a luta, isso pode se aplicar à nossa vida real. Obviamente não estamos numa guerra de verdade, mas quais são os outros tipos de conflito que a guerra pode estar simbolizando em nossa vida? Estamos fugindo? Ou nos escondendo para evitar o confronto, ou negando-o, ou nos distraindo com outras coisas, esperando que o problema desapareça?

A chave para compreendermos a mensagem do sonho é comparar o seu enredo básico — neste exemplo, fugir da guerra (do conflito), mas encontrar uma solução mais tarde — com a situação real no nosso mundo individual. Talvez esse sonho esteja nos dizendo para acordarmos e enxergarmos o conflito, e que, se prestarmos atenção, poderemos encontrar uma solução viável.

E quanto aos personagens do sonho? Embora eles possam ser bizarros, temos que nos perguntar como é que poderiam simbolizar pessoas reais com quem estamos tendo interações importantes. Será que estamos enxergando direito as pessoas em nossa vida? Talvez o sonho esteja nos dizendo alguma coisa sobre quem essas pessoas — feliz ou infelizmente — realmente são.

Mas se acontecer de analisarmos o enredo e os personagens do sonho sem encontrar qualquer ligação com a nossa situação, que é que fazemos? Aí é importante registrar o sonho num diário, porque os sonhos podem ser proféticos. É fácil pensar que os sonhos proféticos têm sempre um desfecho espetacular, evitando um desastre de avião ou inspirando a compra de um bilhete de loteria premiado, mas na realidade os sonhos que enfocam pequenos problemas do cotidiano também podem ser proféticos. Muitas vezes o sonho nos parece estranho e tolo porque a situação que ele descreve ainda não ocorreu em nossa vida. Em lugar de descartá-lo, é melhor guardá-lo na mente, pois pode ser que mais tarde ele se mostre espantosamente instrutivo.

Ver ou Recordar um Velho Amigo

A sincronicidade de ver ou recordar um velho amigo costuma ser mais direta. Se o início for um pensamento, em geral a imagem apenas surge em nossa mente, sem estar associada a qualquer acontecimento. Podemos até comentar o tempo que passou desde que pensamos nessa pessoa ou falamos com ela pela última vez. Muitas vezes isso ocorre de manhã cedo, no momento de paz entre estar dormindo e despertar.

Infelizmente o nosso hábito cultural nos faz guardar essas imagens por pouco tempo, e em seguida descartá-las para nos dedicarmos ao nosso cotidiano; esta tendência pode nos levar a não perceber o significado maior da lembrança. Mas se prestarmos atenção a esses pensamentos, outros eventos de sincronicidade podem começar a acontecer. Podemos estar procurando outra coisa qualquer e encontrar um segundo lembrete da pessoa em quem tínhamos pensado — talvez uma fotografia ou uma carta antiga que evoca mais lembranças de coisas compartilhadas com essa pessoa. Se refletirmos, podemos até descobrir que as mesmas circunstâncias estão surgindo em nossa vida atual.

É claro que podem ocorrer outras sincronicidades também. Podemos estar caminhando pela rua e erguer os olhos para ver a própria pessoa vindo em nossa direção. Ou podemos receber um telefonema dessa pessoa.

O desafio é sempre seguir o fluxo dessas coincidências: se não pudermos conversar com o velho amigo naquele momento, podemos marcar um encontro para almoçar. Sempre há uma informação importante precisando ser compartilhada — se não for a respeito de antigas situações que precisam ser revistas e esclarecidas, será a respeito de alguma nova descoberta, nossa ou do nosso velho amigo, que precisa ser passada ao outro. A chave é tentar decifrar o mistério, enxergar abaixo da superfície, investigar.

Às vezes, depois de pensar espontaneamente em alguém, temos vontade de tomar a iniciativa e telefonar para essa pessoa imediatamente. Muitas vezes passei pela experiência de estender a mão para o telefone e ele tocar: era essa mesma pessoa telefonando para mim. Mais uma vez, a chave é falar sobre o que está nos acontecendo — a ela e a nós —, descrevendo as situações específicas nesse momento, procurando a mensagem instrutiva que vai explicar o motivo da coincidência.

Os Encontros Casuais

Outro tipo de sincronicidade é o encontro puramente casual, que pode ser com amigos, conhecidos ou completos desconhecidos. No caso de alguém que conhecemos, estaremos encontrando essa pessoa em circunstâncias que ultrapassam aquilo que poderíamos esperar do acaso.

Um exemplo é esbarrar com um velho amigo num momento crítico. Deepak Chopra, um líder da nova medicina de mente/corpo, fala sobre uma série de experiências que o levaram a estudar seriamente abordagens alternativas para a medicina. Até então ele praticava a medicina ocidental tradicional e tinha uma posição de prestígio em Harvard e em outras universidades como professor de imunologia.

Então sua vida começou a mudar. Durante uma viagem para fazer uma conferência, ele foi convidado a visitar um mestre oriental da meditação, que lhe sugeriu estudar a medicina aiurvédica — uma abordagem oriental que privilegia a prevenção da doença. Deepak descartou a idéia, nada querendo com qualquer coisa que cheirasse a misticismo.

Depois do encontro, ele foi para o aeroporto, onde, para sua surpresa, encontrou um velho amigo dos tempos de faculdade. Durante a conversa, esse amigo apresentou uma cópia do texto básico da medicina aiurvédica, comentando que imaginava que Chopra ia achar aquilo interessante. Impressionado com a coincidência, Deepak leu o livro, reconheceu que defender aquela abordagem médica era o seu destino e iniciou sua carreira de popularização em todo o mundo da medicina alternativa.[5]

Outra sincronicidade desse tipo ocorre quando, num curto espaço de tempo, vemos repetidamente uma pessoa que não conhecemos. As chances contra essas ocorrências são enormes, mas elas parecem se dar com bastante freqüência. Vemos uma pessoa uma vez e geralmente não pensamos sobre isso; mas quando a vemos de novo, ou até mesmo pela terceira vez num único dia, a coincidência geralmente nos chama a atenção. Infelizmente, muitas vezes simplesmente achamos aquilo estranho e seguimos nosso caminho sem nada fazer.

Novamente, o desafio é encontrar um modo de conversar com essa pessoa. Isso já é bastante difícil quando a conhecemos, mas fica pior quando se trata de um desconhecido. Em primeiro lugar, existe o problema da postura defensiva que a maioria de nós adota para com os desconhecidos: nas culturas ocidentais, o contato visual e a iniciativa de puxar uma conversa têm sido demasiadas vezes interpretados como invasão de privacidade ou até mesmo assédio sexual. Uma das infelizes atitudes da nossa sociedade é, por exemplo, estabelecer que, se uma mulher faz contato visual com um homem, está sinalizando que está aberta para o assédio sexual dele. Isso cria todo tipo de confusão — as mulheres geralmente baixando os olhos quando caminham pela rua, temendo que um homem abusado tenha idéias equivocadas, ou os homens, sensíveis ao problema, evitando o contato visual com as mulheres, temendo ser considerados abusados.

Embora isso continue a ser um problema, a nossa intuição, felizmente, em geral não nos decepciona nesse aspecto. Se prestarmos atenção e aprendermos a perceber o fluxo de energia, saberemos com quem podemos nos abrir e a quem devemos evitar. É igualmente importante analisar conscientemente a adequação da nossa própria energia sexual nesse aspecto.

Creio que estamos descobrindo que o melhor é agir de maneira intencionalmente amistosa. Podemos dizer algo específico, tal como "Já não nos conhecemos?", e em seguida descrever a nossa situação específica. Se por acaso estivermos numa loja, podemos dizer: "Vim comprar roupas para uma festa". Idealmente, a outra pessoa responderá contando o motivo de estar na loja, e nós dois então descobriremos um assunto em comum. Lembre-se, o objetivo é descobrir a razão da sincronicidade.

As pessoas mais idosas parecem ter mais facilidade nesse tipo de conversa espontânea, mas todos nós podemos vencer o constrangimento se a nossa intenção for sincera. De qualquer modo, podemos tentar; se formos rejeitados, aceitaremos de bom humor. Como meu avô disse certa vez: "O segredo da vida é aprender a ser feito de bobo sem perder a pose." É óbvio que devemos tomar cuidado ao travar conhecimento com desconhecidos (até conhecê-los bem, encontrá-los apenas em lugares públicos, por exemplo). Mas, se agirmos de maneira correta, a recompensa poderá ser um fluxo mais copioso de sincronicidade.

Quando a Informação Chega no Momento Certo

Outro exemplo importante de sincronicidade é a experiência de receber a informação necessária exatamente na hora certa. Às vezes essa experiência começa com uma súbita elevação da sensação de expectativa. Podemos estar em qualquer lugar, numa situação de trabalho ou de lazer, quando começamos a sentir que alguma coisa importante está para acontecer. Como vamos estudar mais tarde, ocasionalmente experimentamos uma sensação de leveza no corpo ou de que tudo à nossa volta está mais brilhante e luminoso. Alguma coisa nos diz que a nossa vida está prestes a mudar para um rumo importante.

O modo como essa informação nos chega é sempre um mistério. Em geral ela nos vem através de outro ser humano, seja em palavras, seja em atos. Pode vir também em forma de um livro, uma revista ou um item no noticiário. Mas é sempre a perspectiva, a pesquisa ou a idéia do mundo de um ser humano que nos chega no momento certo para expandir a nossa consciência.

É provável que a nossa sensação de que a informação está iminente seja o resultado de termos integrado todos os passos de crescimento necessários para estarmos preparados para o próximo capítulo na história da nossa vida. Tive uma experiência assim, relacionada à minha compreensão da disputa do poder entre os seres humanos. Até então eu entendia perfeitamente que os seres humanos competem uns com os outros de maneiras irracionais, mas sabia que a disputa do poder tinha ainda outros elementos a serem compreendidos.

Em dado momento, tive a sensação de estar prestes a dar um salto para a frente. Por algum tempo, nada aconteceu. Então, certo dia, eu estava dirigindo meu carro quando uma determinada livraria capturou o meu olhar. Estacionei e pus-me a olhar as estantes; minha sensação de expectativa crescia. Nesse exato instante, de uma distância de pelo menos 10 metros, um livro saltou-me aos olhos. Mesmo à distância, suas cores e seu desenho gráfico pareciam diferentes de todos os outros livros à sua volta. Corri até ele e constatei que se tratava de *Escape from Evil*, de Ernest Becker, um livro que delineia o modo como os seres humanos tendem a se engrandecer às custas dos outros, para se sentirem mais seguros e alcançarem uma sensação maior de auto-estima e bem-estar.[6] Esse foi o passo essencial na compreensão que me faltava da disputa do poder.

Em resumo, o essencial no aprendizado de aproveitar os vários episódios de sincronicidade em nossa vida é ficarmos alerta e dedicarmos o tempo necessário para investigar o que está acontecendo. Para isso, cada um de nós precisa criar em sua vida uma quantidade suficiente daquilo que chamo de "tempo à deriva" — um tempo em que nada fazemos além de passear por todos os canais da televisão, folhear o jornal ou caminhar pela rua em estado de alerta para o mundo à nossa volta. Se você pensar num amigo, vá visitá-lo, veja o que acontece. A Internet é também uma fonte de informação nesse sentido. Temos que ter em mente, no entanto, que qualquer pessoa pode colocar qualquer coisa na Internet. Não há um editor ou uma verificação das informações para garantir sua veracidade, nem um responsável pelo conteúdo.

Relacionando a Sincronicidade às Nossas Crenças Religiosas

Para algumas pessoas, relacionar um episódio de sincronicidade às suas crenças religiosas é um desafio. Acho, no entanto, que na maioria dos casos não existe conflito. À medida que começamos a perceber as coincidências em nossa vida, o mistério nos coloca cara a cara com as questões espirituais mais profundas. Que força é essa que parece estar nos puxando para o nosso destino? Existe um propósito divino para a nossa vida? Como, exatamente, esse propósito nos é revelado?

A maioria de nós cresceu com pelo menos uma idéia de uma tradição religiosa: se não estamos ligados a uma religião, temos amigos íntimos ou parentes que estão, e que acreditam profundamente nos postulados da sua fé. Creio firmemente que a maioria das pessoas assim envolvidas com uma religião obedecem a um sincero impulso interior de manter viva para o mundo essa contribuição extraordinária. Esse impulso compartilhado garante à sociedade humana uma grande diversidade de crenças religiosas através das quais podemos explorar muitas opções e assim crescer. Em minha opinião, cada perspectiva religiosa positiva contém uma parte importante da verdade. O diálogo geral entre as várias religiões, embora vago e fragmentado, não deixa de ser essencial para a nossa atual evolução no sentido de uma melhor compreensão espiritual em geral.

A nossa percepção da sincronicidade por si só não sugere que determinada tradição religiosa seja melhor que outra; a sincronicidade, assim como a nova consciência espiritual generalizada que estamos construindo, é apenas uma percepção do modo como o divino age em nossa vida. Todas as religiões maiores — o hinduísmo, o budismo, o judaísmo, o cristianismo, o islamismo —, assim como várias tradições xamânicas, compartilham a idéia de responder à vontade de Deus. Em outras palavras, todas se preocupam com o nosso crescimento na direção da união com uma divindade ou de entrar em comunhão com a força criadora por trás da condição humana. A nossa nova percepção da sincronicidade é apenas a percepção ou a experiência da nossa ligação com essa força divina.

Lembro-me de, quando era criança numa comunidade protestante, ter pensado sobre essa questão de fazer a vontade de Deus. Mesmo naquela época, não tinha dúvida de que aquela igreja e a comunidade que a rodeava eram especiais. Lá, o apoio da comunidade e o carinho das interações ainda produziam mutirões e uma resposta rápida a uma doença numa família. O cristianismo protestante que os membros praticavam era surpreendentemente aberto e tolerante para a época.

O cerne da teologia daquela igreja era a experiência da conversão, a aceitação do cristianismo. Mas a idéia implícita era de que, em seguida, a pessoa tinha que descobrir e então seguir a vontade de Deus para ela. É claro que isso foi numa época em que a sociedade estava no auge da sua atitude mundana, materialista. Eu, porém, estava cheio de perguntas: qual é a natureza desse Deus com quem devíamos nos unir? Como a presença divina é realmente experimentada? Qual é a sensação de estar alinhado com a intenção divina? Para essas perguntas os outros membros da igreja não tinham resposta. Mas a expressão do rosto deles me fez perceber que eles sabiam as respostas; apenas não tinham palavras para expressá-las.

Acho que hoje faz parte da nossa nova consciência espiritual responder a essas perguntas com mais atenção. Durante séculos, os corruptos donos da igreja medieval usaram o medo e a ignorância para cobrar dinheiro pelas bênçãos e pela salvação, desestimulando qualquer tipo de evolução da percepção espiritual por parte de seu rebanho. E alguns continuam a fazer isso hoje. Mas, de maneira geral, acredito que estamos percebendo coletivamente a importância de compartilhar a consciência e o debate espiritual. Cada vez mais pessoas pertencentes a religiões organizadas estão constatando que a nossa percepção da sincronicidade representa uma extensão e um esclarecimento do melhor das nossas tradições religiosas. Essa percepção é a evidência direta de uma força divina agindo em nossa vida, uma força divina que nossa intuição e nossa fé sempre nos afirmaram existir.

Respondendo ao Ceticismo

O maior desafio àqueles de nós que começam a viver a nova percepção espiritual é relacionar-se com os céticos. Todos nós, uma vez abertos à realidade da sincronicidade, nos encontramos em alguma ocasião conversando com alguém que reage negativamente às nossas crenças e questiona diretamente a validade das nossas experiências. Embora os céticos estejam diminuindo de número, ainda são muitos os defensores da velha visão materialista que considera fantasiosa e sem fundamento qualquer conversa sobre o misticismo. Essas conversas ameaçam diretamente as suas sensatas teorias a respeito do que é real e racional no mundo natural.

Os céticos que encontramos parecem dividir-se em duas categorias principais. O grupo maior é daqueles que tomam uma posição de ceticismo não porque tenham estudado a ampla gama de experiências místicas de que ouvem falar, e sim porque não o fizeram; não têm tempo ou inclinação para investigar essas experiências, de modo que adotam a posição que lhes parece mais segura: rotulá-las de absurdas. Geralmente esses céticos vivem e trabalham com outros céticos, que criticam qualquer nova criação ou teoria e usam o ridículo como meio de obter poder pessoal sobre os outros. Nesse tipo de ambiente, a maioria das pessoas adota uma posição estritamente convencional, para evitar o conflito.

O outro tipo de cético que encontramos é o verdadeiro adepto do materialismo científico. Trata-se de uma pessoa que pode pesquisar até certo ponto o cenário da experiência mística, mas sempre recua para trás das barricadas do materialismo, exigindo evidências positivas de tais afirmações. E não dão ouvidos a argumentos tais como: as experiências místicas têm um caráter consistente ao longo de períodos prolongados, milhares de pessoas não relacionadas entre si oferecem relatos idênticos, as estatísticas têm provado repetidamente que a capacidade intuitiva e psíquica é uma ocorrência natural.

Várias abordagens se mostraram eficazes no trato com os céticos. Em primeiro lugar, devemos nos lembrar de que um certo grau de ceticismo é na realidade importante: todos nós devemos evitar aceitar cegamente uma idéia que está na moda, bem como devemos submeter a um olhar crítico qualquer afirmação a respeito da natureza da realidade.

Não devemos esquecer, no entanto, que este princípio tem um corolário igualmente importante, e que muitas vezes é esquecido: conservar a mente aberta para investigar o fenômeno em questão. É especialmente difícil manter esse equilíbrio entre o ceticismo e a mente aberta quando o fenômeno envolve a nossa psicologia interior ou a nossa espiritualidade.

Dois outros pontos importantes são: manter a conversa sempre amistosa e procurar áreas de concordância. Eu me arriscaria a dizer que quase todo mundo que agora experimenta percepções de natureza mística ou espiritual já foi extremamente cético. Nesse sentido, todos nós somos ex-céticos, e pode ser importante lembrar que o processo de se abrir para o lado místico da vida está acontecendo principalmente através da interação pessoal; vemos outra pessoa levando a sério a idéia da experiência espiritual, e então decidimos investigar nós mesmos o assunto.

Por este motivo devemos levar a sério todas as conversas. A nossa franqueza pode ser o testemunho que derruba a posição entrincheirada de alguém. E sabem de uma coisa? O oposto pode ser verdade: o cético a que estamos nos referindo pode estar correto em determinado ponto. Aqueles de nós que estão investigando o potencial da experiência humana nada estarão fazendo se não estiverem comprometidos com um processo bilateral de construção de um consenso. Todos nós temos que escutar para aprender. É o diálogo aberto que assegura um ponto de vista largamente debatido e mantém amplo o nosso campo de visão.

Levando a Sério a Sincronicidade

Os primeiros passos para vivenciar a nossa nova percepção espiritual são: identificar as coincidências e começar um diálogo aberto sobre elas, sem cair em interpretações negativas. No entanto, as perguntas não demorarão a surgir. Se a sincronicidade que percebemos é a evidência da ação de uma força espiritual em nossa vida, por que é que nós, na cultura ocidental, ignoramos durante tanto tempo esses acontecimentos misteriosos? E por que a percepção da sincronicidade está vindo à luz agora, nesse momento atual? Qual é o quadro histórico geral do que está nos acontecendo?

Essas são as perguntas que nos levam ao próximo nível de consciência.

3

Compreendendo Onde Estamos

Quando nos levantamos de manhã e olhamos pela janela, vemos o mundo moderno começando a despertar para um novo dia. Os vizinhos saem de casa em seus carros rumo ao trem que os levará ao centro da cidade; talvez haja lá em cima o ronco distante de um avião; um caminhão de entregas cheio de mercadorias produzidas em massa passa devagar, para reabastecer o supermercado no final da rua.

Para alguns de nós, o longo desenrolar da História que vem até este momento de observação é apenas uma ladainha de progresso econômico e tecnológico; mas, para um número cada vez maior de pessoas, a História está se tornando uma questão mais psicológica. Como foi que chegamos a este tipo de vida? Como foi que a realidade cotidiana foi moldada e tomou forma pelas mãos daqueles que vieram antes de nós? Por que acreditamos nas coisas em que acreditamos?

A História, naturalmente, é o contexto maior da nossa vida individual. Sem ela, vivemos apenas na realidade superficial e provinciana que herdamos quando crianças. Uma compreensão correta da História nos dá a consciência da profundidade e da substância do mundo; ela permeia tudo que vemos, como uma estrutura de significado que nos diz quem somos e nos dá um ponto de referência para o que parece ser o nosso destino.

Substituindo a Cosmologia Medieval

A história da nossa visão moderna do mundo, altamente ocidentalizada, teve início há pelo menos 500 anos, com o colapso da visão medieval do mundo. Como é sabido, esse velho mundo era caracterizado e sustentado pela autoridade central da Igreja cristã em seus primórdios. A Igreja, naturalmente, foi a principal responsável por salvar a civilização ocidental da total desintegração depois da queda do Império Romano, mas, assim fazendo, os seus doutores da lei ganharam grande poder e, durante um milênio, passaram a definir os propósitos da vida na Cristandade, baseados em sua interpretação da Bíblia.

É difícil imaginar até que ponto nós, seres humanos, na Idade Média, sabíamos pouco sobre os processos físicos da natureza. Pouco conhecíamos dos órgãos do corpo, ou da biologia do crescimento das plantas. Acreditava-se que as trovoadas vinham da ira dos deuses ou dos caprichos dos maus espíritos — a natureza e a vida humana eram apresentadas em termos estritamente religiosos. Como Ernest Becker discute em *The Structure of Evil*,[1] a cosmologia medieval colocava a Terra no centro do universo como um grande teatro religioso, que foi criado para um propósito grandioso: servir de palco no qual a humanidade ganhava ou perdia a salvação. Todas as coisas — o tempo, a fome, a devastação das pestes e das guerras — eram criadas apenas para atestar a fé do cristão. E lá estava Satã para reger a sinfonia da tentação; segundo os doutores da Igreja, o objetivo dele era confundir nossa mente, prejudicar o nosso trabalho, aproveitar-se das nossas fraquezas e impedir os nossos esforços para alcançar a felicidade eterna.

Para aqueles que eram realmente salvos, a eternidade seria passada na paz celestial. Para os que fracassavam, os que sucumbiam às tentações, o destino traria a danação nos oceanos de fogo — a não ser, naturalmente, que os doutores da Igreja interviessem. Os indivíduos que enfrentavam tal realidade não podiam dirigir-se diretamente a Deus para pedir perdão, ou até mesmo ter a certeza de que passaram com sucesso nesse teste espiritual, pois os doutores da Igreja arrogavam-se em únicos guardiães das chaves do divino e trabalhavam sem descanso para impedir que o povo tivesse acesso direto a qualquer texto sagrado. Os cidadãos medievais que aspiravam à eternidade no paraíso não tinham escolha senão seguir os ditames muitas vezes complicados e aleatórios dos poderosos líderes da Igreja.

São inúmeras as razões do colapso dessa visão do mundo. A expansão do comércio trouxe notícias de novas culturas e filosofias que questionavam a cosmologia medieval; os excessos e exageros do clero acabaram prejudicando a credibilidade da Igreja; a invenção da imprensa e a disseminação dos livros — inclusive a Bíblia — entre os povos da Europa forneceram informações diretamente às massas, o que por sua vez levou à Revolução Protestante.[2]

Pensadores de uma nova linhagem — Copérnico, Galileu, Kepler — desafiaram diretamente os dogmas da Igreja que diziam respeito à estrutura do sistema solar, à matemática por trás das órbitas dos planetas e até mesmo ao lugar da humanidade dentro do universo.[3] Com o passar do tempo, a crença de que a Terra ficava no centro do universo foi colocada em dúvida. E, à medida que a Renascença e o Iluminismo emergiam, Deus era empurrado para cada vez mais longe da consciência cotidiana.

A Ansiedade da Perdição

Aqui podemos distinguir um dos pontos cruciais na formação da visão moderna do mundo. A visão medieval, por mais corrompida que fosse, pelo menos definia a existência em sua totalidade; era uma filosofia aceita que era extensa e abrangente, pois estabelecia um sentido para toda a gama de acontecimentos da vida, inclusive a razão para a nossa existência e os critérios para ingressarmos num prazeroso plano celestial depois da morte. A vida era explicada em todas as suas dimensões.

Quando a cosmologia medieval começou a desmoronar, nós, os seres humanos do Ocidente, fomos lançados em profunda confusão em relação a um sentido existencial mais elevado para a nossa vida. Se os doutores da Igreja estavam errados e não eram confiáveis, qual era a verdadeira situação da humanidade neste planeta?

Olhamos em volta e percebemos que, em última análise, nós simplesmente nos encontramos aqui, girando pelo espaço num planeta que circula em volta de uma entre bilhões de outras estrelas, sem sabermos por quê. Certamente haveria um Deus qualquer, alguma força da criação, que nos colocou aqui com um propósito específico. Mas estávamos cercados de dúvidas e incertezas, imersos na angústia da falta de sentido. Como poderíamos encontrar coragem para viver sem uma idéia clara do propósito divino? No século XVI, a cultura ocidental estava em completa transição; éramos um povo preso numa terra de ninguém, entre diferentes visões do mundo.

A Ascensão da Ciência

Acabamos por atinar com uma solução para o nosso dilema: a ciência. Nós, humanos, podíamos estar filosoficamente perdidos, mas percebemos que poderíamos adotar um sistema pelo qual conseguiríamos nos encontrar novamente. E acreditávamos que dessa vez seria um conhecimento verdadeiro, livre da superstição e dos dogmas que caracterizaram o mundo medieval.

Como cultura, decidimos deslanchar uma pesquisa em massa, um sistema organizado de formação de consenso, para descobrir os fatos reais da nossa situação neste planeta. Daríamos à ciência o poder e a missão de sair para esse lugar desconhecido (o vasto mundo natural, que, é bom lembrar, sequer recebera nome, muito menos explicação), para descobrir o que estava acontecendo, e explicar tudo ao povo.

Nosso entusiasmo era tão grande, que sentíamos que o método científico poderia até mesmo desvendar a verdadeira natureza de Deus, o processo criativo no coração do universo. Acreditávamos que a ciência reuniria toda a informação necessária para nos devolver a sensação de certeza e de sentido que tínhamos perdido com o colapso da antiga cosmologia.

Mas a fé numa rápida descoberta da nossa real situação humana logo se mostrou errônea. Para começar, a Igreja conseguiu pressionar a ciência para enfocar apenas o mundo material — muitos dos primeiros pensadores, inclusive Galileu, foram condenados ou mortos pelo clero. Com o progresso da Renascença, desenvolveu-se uma trégua frágil. A Igreja — ferida, porém ainda poderosa — teimava em reclamar para si o papel de fonte única da vida mental e espiritual dos seres humanos. Foi de má vontade que ela sancionou a pesquisa científica, e os doutores da Igreja insistiram que a ciência só fosse aplicada ao universo físico: os fenômenos das estrelas, das órbitas, das plantas, do nosso corpo.

Agradecida por essa permissão, a ciência pôs-se a enfocar esse mundo físico, e depressa floresceu. Começamos a mapear a física por trás da matéria, a nossa história geológica e a dinâmica da meteorologia. As partes do corpo humano receberam nomes, e as operações químicas da vida biológica foram investigadas. Tomando cuidado para não levar em frente quaisquer implicações que suas descobertas pudessem ter para a religião, a ciência pôs-se a explorar exclusivamente o mundo exterior.

Um Universo Materialista

A primeira imagem científica abrangente de como esse mundo exterior funcionava foi criada por Sir Isaac Newton, que reuniu as opiniões dos primeiros astrônomos num modelo de universo estável e previsível. A matemática newtoniana sugeria que o mundo macro operava segundo leis naturais imutáveis, que poderiam ser utilizadas em aplicações práticas.

Descartes já tinha proposto que o universo em sua inteireza — a órbita da Terra e outros planetas ao redor do Sol, a circulação da atmosfera como padrões meteorológicos, a interdependência das espécies animais e vegetais — funcionava em conjunto como uma grande máquina cósmica, ou um mecanismo, sempre confiável e totalmente despido de influência mística.[4]

A matemática newtoniana parecia provar isso. E uma vez estabelecida na física essa imagem holística, todos acreditaram que as outras disciplinas da ciência precisariam apenas fornecer os detalhes, descobrir os miniprocessos, as engrenagens e as molas que faziam funcionar o grande relógio. À medida que isso começava a ocorrer, a ciência foi ficando cada vez mais especializada em sua maneira de mapear o universo físico, retalhando-o em subdivisões cada vez menores e detalhando a nomenclatura e a explicação do mundo à nossa volta.

O dualismo cartesiano e a física newtoniana estabeleceram uma posição filosófica que foi rapidamente aceita como a visão reinante na era moderna. Essa visão advogava ainda um ceticismo empírico, dentro do qual nada no universo deveria merecer crédito se a sua existência não fosse provada, sem sombra de dúvida, através de uma experiência quantitativa.

Acompanhando Francis Bacon, a ciência tornou-se cada vez mais materialista e pragmática em sua orientação e afastou-se cada vez mais das questões mais profundas da vida e do propósito espiritual da humanidade. Quando eram pressionados, os cientistas referiam-se a uma idéia deísta de Deus, uma divindade que primeiro colocou o universo em funcionamento, deixando-o depois a funcionar por meios totalmente mecânicos.

A Solução do Iluminismo

Chegamos agora a outro ponto crucial na formação da visão moderna do mundo. Tínhamos apelado para a ciência para a descoberta de respostas para as nossas maiores perguntas existenciais e espirituais, mas a ciência tornou-se consumida por um enfoque puramente laico e materialista. Quem poderia dizer quanto tempo ela demoraria para descobrir o sentido mais elevado da vida humana?

Era evidente que nós, ocidentais, precisávamos de um novo sentido, um novo estado de espírito a que pudéssemos nos agarrar nesse ínterim — e, mais importante, que ocupasse a nossa mente. E parece que nesse momento a decisão coletiva foi levar a nossa atenção totalmente para o mundo físico, assim como a ciência estava fazendo. Afinal, a ciência estava descobrindo um rico tesouro de recursos naturais à nossa disposição — e podíamos usar esses recursos para melhorar nossa situação econômica, para conseguirmos mais conforto nesse mundo material. Poderíamos ter que esperar pelo conhecimento a respeito da nossa verdadeira situação espiritual, mas, enquanto esperávamos, poderíamos conseguir mais segurança material. A nossa nova filosofia, embora temporária, era um passo à frente no progresso humano, um compromisso com o aperfeiçoamento da nossa vida e da vida de nossos filhos.

Essa nova filosofia, no mínimo, nos tranqüilizava. A carga de trabalho nos mantinha ocupados, afastando a nossa atenção do fato de que o mistério da morte, portanto o da própria vida, ainda se mostrava enorme e inexplicado. Algum dia, no final da nossa existência terrena, teríamos que enfrentar as realidades espirituais, fossem elas quais fossem. Enquanto isso, porém, limitávamos nosso enfoque aos problemas da existência material cotidiana e tentávamos fazer do próprio progresso, tanto pessoal quanto coletivo, a única razão para a nossa curta vida. E essa se tornou a postura psicológica no início da era moderna.

Basta uma olhadela rápida no final do século XX para vermos os grandiosos resultados desse enfoque restrito ao progresso material. Em poucos séculos, exploramos o mundo, fundamos nações e criamos um imenso sistema de comércio global. Além disso, cientistas venceram doenças, desenvolveram fantásticas formas de comunicação e mandaram homens à Lua.

No entanto, todas essas conquistas tiveram um preço alto. Pelo progresso, nós exploramos o meio ambiente quase ao ponto da sua destruição. E pessoalmente podemos perceber que, em certo ponto, o nosso enfoque nos aspectos econômicos da vida tornou-se uma obsessão, usada para afastar a ansiedade da incerteza. Fizemos da vida material e do progresso dirigido pela nossa lógica a única realidade que permitíamos entrar em nossa mente.

Finalmente, em meados do século XX, a cultura ocidental começou a despertar dessa preocupação. Paramos para olhar em volta e começamos a compreender o nosso lugar na História. Ernest Becker ganhou um Prêmio Pulitzer por seu livro *The Denial of Death*,[5] porque mostrou claramente o que o mundo moderno tinha feito a si mesmo psicologicamente. Nós tínhamos limitado nosso enfoque à economia material e, durante todo esse tempo, nos recusamos a aceitar a idéia de uma experiência espiritual mais profunda, porque não queríamos que nos lembrassem o grande mistério que é esta vida.

Acredito que é por isso que as pessoas mais velhas eram abandonadas em sanatórios: elas nos lembravam aquilo que tínhamos empurrado para longe da nossa consciência. A necessidade de nos esconder do mistério que nos aterrorizava é também a razão por que o nosso senso comum acha tão estranha a crença num universo onde a sincronicidade e outras capacidades intuitivas são reais. O nosso medo explica por que, durante tantos anos, os indivíduos que experimentavam fenômenos misteriosos — sincronicidade, intuição, sonhos proféticos, percepções extra-sensoriais, experiências no limiar da morte, contato com anjos, e tudo mais —, que sempre ocorreram na existência humana e até continuavam na era moderna, eram tratados com tanto ceticismo. Falar sobre essas coisas, ou até mesmo admitir que elas eram possíveis, colocava em risco a nossa teoria de que o mundo material era tudo que existia.

Vivendo um Presente mais Longo

Podemos ver, portanto, que a percepção da sincronicidade em nossa vida representa nada menos que um despertar coletivo da visão materialista do mundo, que durou séculos. Agora, quando contemplamos a existência moderna com suas maravilhas tecnológicas, podemos ver este mundo a partir de um ponto de vista psicológico mais revelador.

Com a decadência da Idade Média, perdemos a sensação de certeza a respeito de quem éramos e o que significava a nossa existência; assim, inventamos um método científico de pesquisa e o encarregamos de descobrir a verdade da nossa situação. Mas a ciência parecia fragmentar-se em mil faces, incapaz de trazer de volta de imediato uma imagem coerente.

Como reação, afastamos a ansiedade voltando o nosso enfoque para iniciativas práticas, reduzimos a vida a seus aspectos econômicos e finalmente entramos numa obsessão coletiva, com os aspectos prosaicos e materiais da vida. Como vimos, os cientistas apresentaram uma visão do mundo que reforçou essa obsessão e, durante muitos séculos, eles próprios ficaram perdidos dentro dela. O preço dessa cosmologia limitada foi o estreitamento da experiência humana e a repressão da nossa percepção espiritual mais elevada — uma repressão que agora estamos finalmente vencendo.

O desafio é nos esforçarmos sempre para manter na consciência essa maneira de ver a História, especialmente quando o materialismo, ainda influente, tenta nos atrair de volta para a antiga visão. Temos que ter em mente onde estamos, a verdade da era moderna, e fazer disso parte de todos os momentos da nossa vida — pois é a partir dessa sensação intensificada de estarmos vivos que podemos nos abrir para o próximo passo da nossa viagem.

Quando olhamos com um olhar novo, vemos que a ciência não fracassou por completo; sempre houve na ciência uma corrente subjacente que silenciosamente ultrapassava a obsessão material. A começar nas primeiras décadas do século XX, uma nova maneira de pensar começou a formar uma descrição mais completa do universo e de nós mesmos — uma descrição que finalmente está abrindo caminho para a consciência popular.

4

Penetrando no Universo que nos Responde

UM DOS MARCOS MAIS importantes no processo de emergência de uma nova visão científica da humanidade e do universo é a obra de Thomas Kuhn, que publicou *The Structure of Scientific Revolutions* em 1957.[1] Esse livro foi o primeiro a nos alertar para a tendência que a ciência mostrava de ser seletiva, tanto em relação ao modo como seus praticantes escolhem sua própria pesquisa quanto ao modo como eles julgam o trabalho dos outros.

Kuhn mostrou de maneira convincente que aquilo que ele chamou de "raciocínio paradigmático" muitas vezes levava os cientistas a excluir áreas de pesquisa, inclusive determinadas descobertas que não se ajustavam às teorias e descrições prevalentes na época. Um paradigma é um conjunto de crenças a respeito da realidade que parecem óbvias e imutáveis. O raciocínio paradigmático pode levar os indivíduos (neste caso, os cientistas) a defender seu ponto de vista contra a evidência racional — exatamente o que ocorreu na cega aliança com o paradigma newtoniano. Além disso, a tese de Kuhn esclareceu o problema do *investimento* pessoal na ciência, revelando o modo como muitas vezes os cientistas constroem sua carreira a partir de determinadas descobertas, geralmente em universidades ou institutos particulares, e então mostram a tendência de defender essas posições teóricas — que eles consideram a fonte de seu *status* pessoal — contra recém-chegados com idéias diferentes, mesmo sendo essas idéias melhores, mais objetivas e mais completas que as suas.

Por causa deste problema, a ciência muitas vezes caminha devagar, com uma geração tendo que se aposentar antes que a nova geração pudesse ter suas conquistas aceitas. A grande contribuição de Kuhn foi ampliar a abertura e a autoconsciência entre uma nova geração de cientistas, justamente quando as massas perceberam que já estava em andamento uma grande mudança de paradigma.

Newton imaginou o mundo funcionando através de processos puramente físicos, de natureza mecânica, sem qualquer espécie de influência mental ou mística. Obedecendo a esse paradigma, todas as outras ciências e subdisciplinas puseram-se a rotular e explicar todos os processos e componentes básicos do mundo.

No entanto, no final do século XIX, no auge do paradigma mecanicista, as suposições básicas que criaram esse tipo de ciência estavam começando a ser questionadas. De repente, em vez de um lugar morto e sem alma, o universo começava a parecer uma imensa arena de uma energia dinâmica e misteriosa — uma energia subjacente a todas as coisas, que interagia consigo mesma de um modo que só podia ser considerado *inteligente.*

A Nova Física

A mudança para a crença num universo inteligente começou com o trabalho de Albert Einstein, que ao longo de algumas décadas virou a física de cabeça para baixo. Como Fritjof Capra detalhou em *The Tao of Physics*, Einstein irrompeu no cenário científico quando os cientistas estavam com dificuldades para compreender pelo sistema antigo determinadas informações resultantes de suas pesquisas. O comportamento da luz, por exemplo, não parecia encaixar-se na visão mecanicista newtoniana.[2]

Em 1860, Maxwell e Faraday tinham demonstrado que a melhor definição de luz seria um campo eletromagnético oscilante, que distorcia o espaço à medida que viajava através do universo em forma de ondas. Era evidente que a idéia da distorção do espaço não era possível dentro da estrutura newtoniana, porque para ajustar-se a essa teoria uma onda precisaria de um meio para através dele viajar mecanicamente. A fim de resolver o problema, Maxwell e Faraday criaram um hipotético "éter" universal para essa função.[3]

Num ato de intuição que mais tarde veio mostrar ser parte de uma série de brilhantes vislumbres, Einstein construiu a teoria de que não havia éter algum e que a luz na realidade viajava através do universo sem um meio — distorcendo o espaço. Einstein postulava que esse efeito explicava também a força da gravidade, afirmando que a gravidade não era uma força no modo convencional como Newton a enxergava. Em vez disso, tratava-se do resultado do modo como a massa de uma estrela ou planeta também distorcia o espaço.

Einstein afirmava que a Lua, por exemplo, não orbita o nosso planeta por ser atraída pela massa maior da Terra, que a faz girar como se fosse uma bola na ponta de um barbante; em vez disso, segundo ele, a Terra distorce o espaço que a rodeia, curvando esse espaço, de modo que a Lua na realidade segue uma linha reta, obedecendo às leis da inércia, mas mesmo assim gira em volta do nosso planeta dentro de uma órbita.

Isso significa que não vivemos num universo em que o espaço se expande em todas as direções até o infinito. De um modo incrível e misterioso, o universo em sua inteireza é curvado pela totalidade da matéria dentro dele. Isso significa que, se fôssemos viajar em linha reta numa direção, durante um prazo suficientemente longo, cobrindo uma distância suficiente, nós voltaríamos exatamente ao lugar de onde tínhamos partido. Assim, o espaço e o universo não têm fim, mas são finitos, limitados, como uma cápsula — o que traz a pergunta: o que é que existe do lado de fora desse universo? Outros universos? Outras realidades em outras dimensões?

Em seguida Einstein estabeleceu que também o tempo objetivo é distorcido pela influência de corpos volumosos e pela velocidade. Quanto maior for o campo gravitacional em que um relógio é colocado, e quanto mais depressa viajar o próprio relógio, mais lento será o fluxo do tempo em relação a outro relógio. Numa experiência teórica hoje famosa, Einstein ilustrou o modo como um relógio dentro de uma nave espacial, viajando numa velocidade próxima à da luz, funcionaria mais devagar em relação a um relógio na Terra. Os ocupantes da embarcação não perceberiam a diferença, porém envelheceriam muito menos durante o vôo do que seus companheiros na Terra.[4]

Einstein demonstrou também a constância da velocidade da luz, independente do acréscimo ou da subtração de qualquer impulso. Por exemplo: quando estamos viajando de carro e jogamos uma bola para a frente, a velocidade da bola é a velocidade do carro somada à velocidade da bola depois de lançada. O mesmo não acontece com a luz: a velocidade da luz visível, assim como a de outros fenômenos eletromagnéticos, é de 186 mil milhas por segundo, mesmo se estivéssemos viajando a 180 mil milhas por segundo e acendêssemos uma lanterna virada para a frente. A velocidade da luz que sairia da lanterna não seria a soma da sua velocidade com a nossa, mas permaneceria constante em 186 mil milhas por segundo. Essa descoberta por si só, uma vez inteiramente compreendida, demole a antiga concepção de um universo mecânico.

Na sua teoria talvez mais revolucionária, Einstein afirmou também que a massa de um objeto material e a energia que ele contém são na verdade intercambiáveis pela fórmula $E = mc^2$. Em essência, Einstein mostrou que a matéria nada mais era do que uma forma de luz.[5]

O trabalho de Einstein foi como abrir a caixa de Pandora; o paradigma deixou de ser o conceito de um universo mecanicista, e uma torrente de novas descobertas começou a provar que o universo é muito misterioso.

As primeiras informações novas foram produzidas na física quântica por pioneiros como Niels Bohr, Wolfgang Pauli e Werner Heisenberg. Desde a Grécia antiga, os físicos se aventuraram na busca dos elementos essenciais da natureza, dividindo a matéria em unidades cada vez menores. A idéia do átomo foi confirmada, mas à medida que os físicos dividiam o átomo em partículas cada vez menores de prótons e elétrons, eles começaram a perceber a surpreendente escala envolvida: segundo Capra, se visualizarmos o núcleo de um átomo com o tamanho de um grão de sal, então para retratar corretamente a escala de um átomo real os elétrons teriam que estar a centenas de metros de distância entre si.

Igualmente surpreendente foi verificar como essas partículas elementares se comportavam quando observadas. Como a própria luz, elas pareciam agir tanto como ondas quanto como objetos dotados de massa, dependendo do tipo de observação escolhido pelos cientistas. Aliás, no início deste século, muitos físicos quânticos famosos — entre eles Heisenberg — começaram a acreditar que o ato da observação e a intenção dos cientistas afetavam diretamente o comportamento e a existência dessas partículas elementares.[6]

Gradualmente os físicos começaram a questionar se fazia sentido chamar essas entidades de partículas. Certamente elas não se comportavam como alguma coisa que pudesse, em qualquer sentido, ser chamada de material. Por exemplo: se eram divididas em dois, as duas unidades separadas tornavam-se partículas gêmeas, do mesmo tamanho e da mesma espécie. Talvez a coisa mais espantosa de todas seja que essas substâncias elementares conseguem comunicar-se entre si ao longo do tempo e do espaço — algo impossível segundo o antigo paradigma mecanicista. As experiências mostraram que se uma partícula é dividida em duas, e uma das partículas gêmeas é forçada a mudar de condição, ou a girar, então a outra automaticamente gira também, mesmo estando bem distante.[7]

Em resposta a essa descoberta, o físico John Bell construiu sua lei hoje famosa, conhecida como teorema de Bell, que estipula que as entidades atômicas, uma vez conectadas, assim permanecem — um fenômeno mágico, do velho ponto de vista newtoniano. Mais ainda: as mais recentes teorias da física sobre supercordões e hiperespaço trazem ainda mais mistérios. Elas enxergam um universo que inclui multidimensões, embora incrivelmente pequenas, e reduzem tanto a matéria quanto a energia a puras vibrações em forma de cordões.[8]

Como era de se esperar, essa nova descrição do universo produzida pelos físicos começou a afetar as outras disciplinas, particularmente a biologia. Como parte do antigo paradigma, a biologia reduzira a vida à mecânica das reações químicas. E a teoria mecanicista da evolução proposta por Darwin permitia que a biologia explicasse a existência de uma ampla gama de formas de vida neste planeta — inclusive os seres humanos — em termos de processos casuais da natureza, sem qualquer referência espiritual.

É irrefutável que a vida evoluiu, de algum modo, das formas menores para as maiores neste planeta — os fósseis até hoje descobertos o mostram claramente. Mas a descrição que os físicos fazem do universo novo e misterioso põe em cheque a formulação materialista de Darwin sobre a evolução.

Na concepção de Darwin, as mutações ocorriam ao acaso na prole dos membros de todas as espécies, dando a esses descendentes traços ligeiramente diferentes. Se os traços se mostrassem vantajosos, esses indivíduos sobreviviam em número maior, e finalmente o novo traço tornava-se estabelecido como uma característica geral da espécie. Segundo Darwin, por exemplo, em alguns ancestrais da girafa o pescoço alongou-se, e como essa mutação mostrou-se vantajosa (dando maior acesso à comida), a taxa de sobrevivência da prole desses animais foi maior, até que finalmente todas as girafas passaram a ter pescoço comprido.

Num universo materialista e sem mistérios, não se podia conceber a evolução de outra maneira; hoje, porém, identificamos várias falhas nessa teoria. Uma delas é que as mais recentes projeções mostram que um processo casual teria sido lento demais — para chegar ao estado atual, as formas de vida teriam levado muito mais tempo do que durou a sua evolução na Terra. Outro problema dessa teoria é que os fósseis não mostram os elos perdidos ou as criaturas de transição, que deveriam existir para demonstrar a mutação gradual da forma de uma espécie.[9]

É certo que os organismos multicelulares seguiram-se aos organismos unicelulares, e os répteis e mamíferos só emergiram depois que os peixes e os anfíbios se desenvolveram; mas esse processo parece ter saltado de uma espécie inteiramente formada para a seguinte, com a nova espécie aparecendo ao mesmo tempo em diversos lugares do mundo. Os aspectos misteriosos do universo descrito pela nova física sugerem que talvez a evolução esteja se procedendo com mais propósito do que Darwin supunha.

Além da biologia, a nova física começou a afetar muitas outras disciplinas — especialmente a psicologia e a sociologia —, por ter mudado tão drasticamente a nossa concepção do universo exterior no qual vivemos. Já não podemos pensar que vivemos num mundo simples de matéria sólida; se estivermos despertos, saberemos que tudo à nossa volta é um misterioso padrão de energia em vibração, a substância da luz — e isso também nos inclui.

A Energia Universal
o Ch'i e o Campo de Energia Humano

Há paralelos diretos entre a visão da nova física e a descrição da realidade oferecida pelas filosofias orientais — o budismo, o hinduísmo e o taoísmo. A nova física descreve o mundo da matéria e das formas em termos de um campo quântico de energia que abrange tudo. Abaixo da superfície das coisas do mundo, não existem elementos básicos da natureza; existe apenas uma teia de relações de energia interligadas.

As principais filosofias religiosas do Oriente defendem essencialmente a mesma visão, mas em vez de chegar a ela como resultado da experimentação objetiva, tiveram séculos de cuidadosa observação interior. O pensamento oriental proclama que o universo que contemplamos é essencialmente um todo indivisível, consistindo em uma única vida ou energia espiritual — porque é sob essa forma que é possível experimentá-lo.

Cada uma dessas religiões tem o seu próprio método de alcançar uma ligação maior com o universo; todas elas, porém, afirmam que os seres humanos, embora intimamente ligados a essa energia sutil que se chama *prana* ou *ch'i* (ou *ki*), geralmente estão desligados de seus níveis superiores. Várias disciplinas dessas religiões — a meditação e as artes marciais, por exemplo — destinam-se a despertar essa relação, e obtêm resultados comprovadamente extraordinários. Certos iogues orientais exibem incríveis façanhas de força, controle do corpo e capacidade de suportar extremos de frio ou calor.[10]

Alguns sistemas de crença orientais afirmam que a energia que circula através dos seres humanos pode ser observada sob a forma de um campo de luz, ou aura, que os cerca. Essa energia muitas vezes é percebida como luz colorida emanando de cada ser humano, e os diferentes formatos ou tons dessa luz refletem a natureza do ser interior e do caráter da pessoa.

Na década de 50 as descrições da nova física começavam a circular na mídia massificada, e de repente essas teorias esotéricas do Oriente, baseadas estritamente na observação interior, começaram a ser levadas a sério por psicólogos e sociólogos no Ocidente. O Oriente tinha criado um sistema no qual o potencial do ser humano era muito mais aberto e abrangente; à medida que esses conceitos tornaram-se conhecidos, o velho paradigma começou a desmoronar nas outras disciplinas. A nova física nos dera uma nova concepção do universo que nos rodeia, e agora um movimento semelhante nas ciências humanas estava prestes a nos trazer uma nova compreensão de nós mesmos.

O Potencial de Movimento Humano

No meio do século XX, o enfoque predominante da psicologia ocidental era o estudo da mente humana em relação aos nossos atos no mundo exterior — em outras palavras, a investigação do nosso comportamento. Seguindo o paradigma mecanicista, os psicólogos procuravam um princípio ou uma fórmula-mestra a que todas as ações humanas no mundo pudessem ser reduzidas, o que anteriormente levara ao modelo behaviorista de estímulo/reação.

A única outra abordagem importante ao estudo da psicologia humana estava sendo conduzida na psiquiatria, segundo o modelo de patologia médica criado por Freud. Sigmund Freud, pensador do final do século XIX, estudou profundamente a estrutura da própria mente, baseando suas teorias em conceitos reducionistas e biológicos aceitáveis para o paradigma mecanicista.

Freud foi o primeiro a postular que os traumas de infância resultavam muitas vezes em temores e reações neuróticas de que os seres humanos geralmente não tinham consciência. Ele concluiu que o comportamento da humanidade era motivado simplesmente pelo impulso de aumentar o prazer e evitar a dor.

No final da década de 50, porém, os mistérios revelados pela nova física, a crescente influência das filosofias orientais e os movimentos do existencialismo e da fenomenologia na filosofia ocidental inspiraram um terceiro desenvolvimento teórico na psicologia. Essa nova orientação era liderada por Abraham Maslow, que, com um grupo de outros pensadores e escritores, procurava um meio mais completo de estudar a consciência humana.[11]

Rejeitando o behaviorismo por achá-lo abstrato demais, e as teorias de Freud por serem demasiado obcecadas com os desejos sexuais sublimados, esses cientistas queriam estudar a mente tendo como foco a própria percepção. Nisso eles eram profundamente influenciados pelo Oriente, onde a consciência era estudada de dentro para fora — que é o modo como cada ser humano sente a sua própria consciência. Ao longo da nossa vida, olhamos para o mundo exterior através dos nossos sentidos, interpretando o que acontece à nossa volta baseados em nossas lembranças e expectativas, e usamos os nossos pensamentos e as nossas intuições para agirmos: essa nova abordagem psicológica foi chamada de humanismo, e ela cresceu em grandes saltos ao longo das décadas de 60 e de 70.

Os humanistas não negavam que muitas vezes não temos consciência daquilo que motiva o nosso comportamento. Eles concordavam que os seres humanos tendem a restringir as próprias experiências, muitas vezes repetindo roteiros e padrões de reação destinados a reduzir a ansiedade. Mas os humanistas enfocavam também o modo como os humanos poderiam liberar sua maneira de ver e transcender seus roteiros, abrindo-se para a experiência humana superior que lhes estava disponível.

Essa nova perspectiva levou a uma redescoberta do trabalho de Carl Jung, o psicólogo suíço que rompeu com Freud em 1912 para desenvolver as suas próprias teorias — inclusive o princípio da sincronicidade. Segundo Jung, ao contemplarmos o mundo, os nossos desejos interiores não são apenas evitar a dor e maximizar o prazer hedonista, como pensava Freud, embora nos níveis inferiores de consciência possa parecer que seja assim; Jung afirmava que o nosso impulso maior é em direção à integridade psicológica e à auto-realização do nosso potencial interior.

Nessa viagem, somos guiados por trilhas já estabelecidas no cérebro, às quais ele chamou "arquétipos". À medida que crescemos psicologicamente, podemos realizar — ou ativar — esses arquétipos, progredindo assim na direção da auto-realização. O primeiro estágio do crescimento é o da diferenciação, durante o qual nos tornamos conscientes de nós mesmos no meio cultural em que nascemos e começamos a nos individualizar. Isso significa que temos que encontrar para nós um nicho nesse mundo que aprendemos na infância — um processo que inclui educar-se, pesquisar o mercado e encontrar um meio de ganhar a vida.

Fazendo isso aguçamos o poder do nosso ego e da nossa vontade, substituindo o conjunto de reações automáticas que aprendemos por uma maneira lógica de interpretar os acontecimentos; essa maneira se torna a nossa própria maneira de nos distinguirmos, de apresentarmos ao mundo o nosso Eu como uma pessoa única com idéias únicas. Este estágio é a princípio algo narcisista (egoísta) e muitas vezes inflado (egocêntrico), mas ativa intensamente aquilo que Jung chamava de arquétipo do Herói. Nesse ponto estamos preparados para encontrar alguma coisa importante para fazer na cultura; sentimo-nos orgulhosos e determinados a conseguir.

À medida que nosso crescimento continua, ultrapassamos a fase do Herói e ativamos aquilo que Jung chamou de arquétipo do Eu, um passo do desenvolvimento pelo qual deixamos para trás um autoconceito baseado em dominar o nosso meio. Em vez disso, entramos numa consciência mais dirigida para o interior, onde a intuição e a lógica se tornam parceiras, e os nossos objetivos se tornam mais alinhados com as imagens e sonhos interiores daquilo que realmente queremos fazer.

Esta é a fase que ele descreveu como auto-realização, e foi então que mencionou a percepção mais elevada: a da sincronicidade. Embora vislumbrada em todos os níveis, é durante essa fase que se torna mais instrutiva a percepção das coincidências significantes. Nesse estágio, os acontecimentos da nossa vida começam a reagir à nossa disposição de crescer, e a sincronicidade passa a ocorrer com mais freqüência.[12]

Reforçada por Jung, começou a emergir a imagem completa de como os humanos ficam imobilizados durante esse processo. Se acompanharmos o processo de descobertas desde Freud e Otto Rank, passando por Norman O. Brown e Ernest Becker, poderemos ver o que acontece. Os seres humanos criam determinadas crenças e comportamentos (roteiros) a que se agarram inflexivelmente, como meio de afastar a ansiedade. Estes vão desde fetiches e hábitos neuróticos incontroláveis até coisas mais normais, como idéias fixas religiosas e crenças filosóficas. O que esses roteiros têm em comum é sua natureza inflexível e sua resistência ao debate ou à discussão racional.

Os humanistas descobriram também que a sociedade humana se caracteriza por disputas de poder irracionais, destinadas apenas a manter intactos esses roteiros. Uma leva de pensadores, inclusive Gregory Bateson e R. D. Laing, começou a mapear esse processo.[13]

Uma descoberta essencial foi chamada "efeito duplo-nó", durante o qual os seres humanos descartam qualquer idéia oferecida por outrem para poder dominar o diálogo. Como Laing demonstrou, quando esse hábito é instaurado pelos pais em seus filhos, costumam acontecer efeitos trágicos. Quando se critica qualquer ação possível oferecida por uma criança, ela se retrai para uma posição defensiva extremada, e desenvolve um padrão de reações exageradas, criado para responder ao ataque. Quando essa criança se torna adulta, o seu instinto de defesa e o seu desejo de controlar todas as situações a levam a usar inconscientemente técnicas de duplo-nó, especialmente em relação aos seus próprios filhos, e assim a condição se perpetua através de muitas gerações.

Esses psicólogos da interação descobriram que esse modo de comunicação era epidêmico na sociedade humana, criando uma cultura onde todos tentavam defensivamente controlar e dominar todas as outras pessoas. Nessas condições, a auto-realização e a expansão da criatividade eram limitadas, porque a maioria das pessoas passava o tempo todo lutando para dominar as outras e reforçar seus roteiros, em vez de abrir-se às possibilidades maiores disponíveis na experiência e nos relacionamentos entre elas.

Ao longo de várias décadas, essas descobertas foram popularizadas, especialmente nos Estados Unidos. O livro do dr. Eric Berne, *Games People Play*, estudava os roteiros e as manipulações mais comuns, descrevendo-os em detalhes. O livro *I'm OK / You're OK*, de Thomas Harris, explicava como a análise transacional poderia ser usada para estudar a verdadeira natureza das conversas humanas e abrir caminho para um modo de interação mais maduro.[14] Uma nova consciência da qualidade das nossas interações começou a abrir caminho através da cultura, propondo a idéia de que todos nós podemos transcender esses hábitos.

No florescimento da teoria humanista de que podemos encontrar um nível mais alto de experiência, o mistério da nossa existência em si mesma tornou-se assunto de ampla discussão entre os humanistas. Foi nesse ponto que a formulação da evolução de Darwin foi reavaliada e questionada por pensadores como Pierre Teilhard de Chardin e Sri Aurobindo — que afirmavam que a evolução não era arbitrária, mas movia-se propositadamente numa direção. Esses pensadores sustentavam que o curso da vida, desde os primeiros organismos até os animais e plantas mais complexos, tinha um propósito, que os seres humanos não eram acidentes da natureza, e que a nossa evolução social, inclusive a nossa jornada para os reinos mais elevados da experiência espiritual, era o desfecho visado por toda a evolução.[15]

Um teórico contemporâneo cuja visão da vida defende essa tese é Rupert Sheldrake. Segundo a teoria de Sheldrake, as formas biológicas são criadas e sustentadas através de campos morfogênicos. Esses campos não ocupam espaço na natureza e criam uma estrutura invisível que moléculas, células e órgãos irão obedecer enquanto se diferenciam e se especializam para criar determinada forma de vida. Mais ainda: esse campo subjacente evolui ao longo do tempo, pois cada geração de uma espécie não apenas é estruturada por ele como também acompanha as suas mudanças à medida que ele supera os desafios do meio ambiente.

Por exemplo: para poder sobreviver em seu nicho biológico, um peixe poderá precisar desenvolver novas nadadeiras para nadar mais depressa; no sistema de Sheldrake, a vontade do peixe iniciaria uma mudança no campo morfogênico da espécie, que se refletiria no crescimento das nadadeiras em sua prole. Essa teoria apresenta a possibilidade de que os saltos evidentes nos fósseis encontrados possam ter ocorrido assim também — os membros de uma determinada espécie criando um campo morfogênico que produzia não apenas os traços adicionais, mas também um salto para uma forma de vida inteiramente diferente. Por exemplo: um determinado peixe poderia ter chegado ao limite da sua evolução na água e produzido uma prole que era na realidade uma nova espécie: anfíbios, que poderiam rastejar na terra.

Segundo Sheldrake, esse progresso poderia explicar também a evolução social dos seres humanos. Através da História, nós, seres humanos, como outras formas de vida, alargamos as fronteiras do nosso conhecimento, sempre tentando evoluir para uma compreensão mais perfeita do nosso meio ambiente e a realização do nosso próprio potencial interior. De qualquer momento da História pode-se dizer que o nível da capacidade e da consciência humanas era definido por um campo morfogênico comum. À medida que os indivíduos realizam suas capacidades particulares — correr mais depressa, ler pensamentos, receber intuições — o campo morfogênico evolui, não apenas para essas pessoas, mas para todos os outros seres humanos. É por isso que as invenções e descobertas muitas vezes são anunciadas, ao mesmo tempo, por vários indivíduos sem qualquer contato entre si.

É aqui que começam a se fundir as descobertas da física moderna e as mais recentes pesquisas científicas a respeito dos efeitos da oração e da intenção. Estamos intimamente ligados ao universo e uns aos outros, e a nossa influência em nosso mundo, através dos pensamentos, é mais poderosa do que qualquer pessoa jamais sonhou.

O Universo que Nos Responde

Nas últimas décadas, os pesquisadores da psicologia começaram a estudar seriamente o efeito das nossas intenções no universo físico. Algumas das primeiras descobertas ocorreram na área de *biofeedback*. Através de centenas de estudos, mostrou-se que podemos influenciar muitas das funções do nosso corpo que, anteriormente, julgava-se serem totalmente controladas pelo sistema nervoso autônomo, inclusive o ritmo cardíaco, a pressão arterial, o sistema imunológico e as ondas cerebrais. Quase todos os processos que podemos monitorar mostraram alguma sensibilidade à nossa vontade.[16]

Pesquisas recentes, no entanto, têm mostrado que nossa ligação e influência vão bem mais longe: as nossas intenções podem afetar também o corpo de outras pessoas, sua mente e a forma dos acontecimentos no mundo. A nova física mostrou que estamos ligados de um modo que transcende os limites de tempo e espaço. O teorema de Bell parece aplicar-se, tanto quanto à operação das partículas elementares, também aos nossos pensamentos.

Ninguém contribuiu mais para a popularização dessa nova compreensão do que o dr. Larry Dossey, que escreveu uma série de três livros enfocando os poderes da intenção e da oração. Estudando pesquisas antigas e atuais de fontes que vão desde F. W. H. Myers até Lawrence LeShan, desde J. B. Rhine até o Laboratório de Pesquisa de Engenharia de Anomalias de Princeton, Dossey apresentou um instigante apanhado de evidências de que podemos atravessar o espaço, e às vezes o tempo, para afetar o mundo.[17]

Numa pesquisa em particular citada em seu livro *Recovering the Soul*, Dossey descreve um grupo de pesquisados reunidos para testar sua capacidade de receber informações através de grandes distâncias. Outros pesquisados, a centenas de quilômetros, não apenas conseguiram acertar muito mais vezes do que seria de se esperar o nome de uma carta tirada por alguém a centenas de quilômetros, como também era freqüente receberem essa informação antes mesmo que a carta fosse escolhida.

Em outras experiências para testar essa capacidade, os pesquisados conseguiram distinguir um grupo de algarismos produzido por um gerador de números ao acaso, antes mesmo que os números fossem sorteados. As implicações dessas e de outras experiências similares são de extrema importância, pois fornecem evidências de certas habilidades que muitos de nós experimentam repetidamente. Não apenas estamos ligados uns aos outros telepaticamente, como também temos a capacidade da premonição: aparentemente conseguimos apreender imagens ou sugestões de acontecimentos iminentes, especialmente se eles afetam a nossa vida e o nosso crescimento.[18]

No entanto, a nossa capacidade tem alcance ainda maior: com a nossa mente podemos não apenas receber informações sobre o mundo, como também afetar o mundo. Dossey cita uma pesquisa, hoje bastante conhecida, que foi levada a cabo pelo dr. Randolph Byrd no Hospital Geral de San Francisco. Nessa experiência, uma equipe de voluntários rezou por um grupo de pacientes cardíacos, ao passo que um grupo de controle não recebeu orações em sua intenção.[19] Dossey relata que o grupo que recebeu orações teve cinco vezes menos possibilidade de precisar de antibióticos e três vezes menos possibilidade de desenvolver fluido nos pulmões. Além disso, nenhum dos pacientes desse grupo precisou de respiração artificial, ao passo que 12 membros do grupo de controle precisaram.

Outras experiências citadas por Dossey mostraram que o poder da oração e da intenção funciona igualmente bem com as plantas (aumentando o número de sementes que germinam); com as bactérias (aumentando a taxa de crescimento); e com objetos inanimados (afetando os padrões casuais de bolas de isopor ao caírem).[20]

Uma série de experiências mostrou uma coisa especialmente interessante: embora a nossa capacidade de afetar o mundo funcione em ambos os casos, a intenção não-instrutiva (isto é, sustentar a idéia de que o melhor deveria acontecer, sem introduzir a nossa opinião) funciona melhor do que a intenção instrutiva (sustentar a idéia de que deveria ocorrer um determinado desfecho). Isto parece indicar que existe um princípio embutido na nossa ligação com o resto do universo, que mantém o nosso ego cerceado.

As experiências citadas por Dossey sugerem também que devemos ter algum conhecimento pessoal do indivíduo por quem rezamos, e que parece funcionar melhor a intenção que flui de uma sensação de ligação com o divino, ou com o Eu superior da outra pessoa. Além disso, as experiências parecem confirmar que nossas intenções têm efeito cumulativo — em outras palavras: os pacientes por quem as orações foram feitas por mais tempo beneficiaram-se mais do que aqueles por quem as orações duraram menos tempo.

Dossey cita experiências que indicam algo muito importante: as nossas teorias costumam agir no mundo exatamente como as nossas intenções ou orações conscientes. A famosa experiência de Oak School mostrou esse fato: disseram a alguns professores que certo grupo de alunos, identificados por meio de testes, progrediria mais durante o ano letivo. Na realidade, os professores receberam uma lista de alunos escolhidos inteiramente ao acaso. No final do ano, esses estudantes mostraram realmente uma melhora significativa não apenas no seu desempenho (o que poderia ser explicado por alguma atenção extra dada pelos professores), mas em testes de QI destinados a avaliar apenas a capacidade inata.[21] Em outras palavras, as teorias do professor a respeito dos seus alunos modificaram o potencial de aprendizado deles.

Infelizmente esse efeito parece agir também numa direção negativa. Em seu livro recente *Be Careful What You Pray For, You Just Might Get It*, Dossey descreve pesquisas que mostram que as nossas teorias inconscientes podem fazer mal a outras pessoas. Um exemplo importante é quando rezamos para que alguém mude de idéia ou interrompa o que está fazendo, antes de investigarmos cuidadosamente se a nossa opinião está correta; esses pensamentos são liberados e criam dúvidas na outra pessoa. A mesma coisa acontece quando temos pensamentos negativos a respeito da aparência ou dos atos de outra pessoa; muitas vezes são opiniões que jamais expressaríamos diretamente, mas, como somos todos ligados, os pensamentos vão como punhais influenciar o conceito que a pessoa tem de si mesma, e talvez até mesmo a sua conduta.[22]

Isso significa, é claro, que podemos também influenciar negativamente a realidade da nossa própria situação com pensamentos inconscientes. Quando pensamos negativamente sôbre a nossa capacidade pessoal, a nossa aparência ou as nossas perspectivas de futuro, esses pensamentos influenciam de maneira bastante real o modo como nos sentimos e aquilo que acontece conosco.

Vivendo a Nova Realidade

Podemos, portanto, enxergar o quadro mais amplo oferecido pela nova ciência. Agora, quando nos postamos em nosso jardim ou passeamos pelo parque admirando a paisagem num belo dia de sol, devemos ver um mundo novo. Não podemos mais pensar que o universo que habitamos está se expandindo em todas as direções até o infinito; sabemos que o universo é fisicamente infinito, mas curvado de uma forma que o torna limitado e finito. Vivemos dentro de uma bolha de espaço/tempo e, como os físicos que pesquisam o hiperespaço, intuímos outras dimensões. E quando olhamos em volta, para as formas dentro deste universo, já não podemos ver matéria sólida, mas substância energética. Tudo nada mais é do que um campo de energia, de luz, todas as coisas interagindo e influenciando-se mutuamente — inclusive nós mesmos.

Na verdade, a maioria dessas descrições da nova realidade já foi confirmada pela nossa própria experiência. Todos nós temos, por exemplo, momentos em que podemos constatar que outras pessoas captaram nossos pensamentos, ou ocasiões em que sabemos o que outra pessoa sente ou está prestes a dizer. De modo semelhante, vivemos situações em que sabemos que alguma coisa está prestes a acontecer ou poderia potencialmente acontecer, e essas premonições muitas vezes são acompanhadas por pressentimentos que nos dizem aonde deveríamos ir ou aquilo que deveríamos fazer, para estarmos no lugar certo, na hora exata. O mais significativo é que sabemos que a nossa atitude e a nossa intenção a respeito das outras pessoas são extremamente importantes. Como veremos mais tarde, quando pensamos positivamente, nos elevamos e elevamos os outros, e acontecimentos incríveis começam a ter lugar.

O nosso desafio é colocar tudo isso em prática cotidianamente, integrado à nossa vida diária. Vivemos num universo inteligente, de energia dinâmica, que nos responde, no qual as expectativas e teorias das outras pessoas irradiam-se delas para nos influenciar.

O próximo passo, portanto, em nossa viagem em direção a uma vida com uma nova consciência espiritual é ver o mundo humano de energia, expectativa e drama como ele realmente é, e aprender a lidar com esse mundo de maneira mais eficaz.

5

Superando a Disputa de Poder

A GRANDE CONQUISTA dos psicólogos da interação foi identificar e explicar a tendência dos seres humanos a competir entre si e a dominar uns aos outros por causa de uma profunda angústia existencial. Veio do Oriente, no entanto, um esclarecimento maior sobre o processo psicológico subjacente a esse fenômeno.

Como tanto a ciência quanto o misticismo demonstram, o ser humano é, em essência, um campo de energia. No entanto, a sabedoria oriental afirma que o nosso nível normal de energia é baixo e fraco, e assim permanecerá até nos abrirmos às energias absolutas disponíveis no universo. Quando isso ocorre, o *ch'i* — que talvez devêssemos chamar de nosso nível de energia quântica — eleva-se o suficiente para sanar nossa angústia existencial. Mas até então vivemos procurando extrair das outras pessoas energia adicional.

Vamos começar esse estudo examinando aquilo que realmente acontece quando dois seres humanos interagem. Existe um velho provérbio místico que diz que aonde vai a atenção, para lá flui a energia. Assim, quando duas pessoas voltam a atenção uma para a outra, elas literalmente fundem seus campos energéticos, juntando as energias. Aí surge logo a questão: quem é que vai controlar essa energia acumulada? Se um dos dois consegue dominar, fazendo o outro aceitar seu ponto de vista — enxergar o mundo à sua maneira, através dos seus olhos —, então esse indivíduo capturou para si a energia de ambos. Ele sente uma imediata onda de poder, segurança, autovalorização e até mesmo euforia.

Mas esses sentimentos positivos são conseguidos às custas da outra pessoa, que, dominada, sente-se fora do centro, ansiosa e desprovida de energia[1] — todos nós já nos sentimos assim alguma vez. Quando somos forçados a ceder a alguém que nos manipulou até nos confundir, nos tirar do equilíbrio, nos expor, de repente nos sentimos exaustos. E a tendência natural é tentar tomar de volta a energia do nosso dominador, usando em geral de qualquer meio necessário.

Esse processo de dominação psicológica pode ser observado em toda parte, e é a fonte oculta de todos os conflitos irracionais no mundo humano, em nível de indivíduos e famílias até todas as culturas e nações. Assim, olhando realisticamente para a sociedade, veremos um mundo que compete pela energia, com pessoas manipulando umas às outras de maneiras muito engenhosas (e em geral bastante inconscientes). À luz da nova compreensão do universo, podemos ver também que a maioria das manipulações usadas — a maioria dos *jogos que as pessoas jogam* — resulta das teorias básicas de cada um. Em outras palavras: são elas que formam o campo de intenção do indivíduo.

Quando entramos em interação com outro ser humano, precisamos ter isso tudo em mente. Cada pessoa é um campo de energia consistindo num conjunto de teorias e crenças, que se irradiam e influenciam o mundo. Isso inclui as crenças sobre aquilo que um indivíduo pensa dos outros, e como sair vitorioso na conversa.

Todo mundo tem um conjunto único de teorias e estilo de interação, que chamo de "dramas de controle". Acredito que esses "dramas" seguem um *continuum* que vai de muito passivo a muito agressivo.

O Coitado de Mim

O mais passivo dos dramas de controle é a estratégia da vítima, ou o que chamo de Coitado de Mim. Nesse drama, a pessoa, em vez de competir diretamente pela energia, procura ganhar atenção e deferência manipulando o sentimento de solidariedade.

Sempre podemos perceber quando entramos no campo de energia de um Coitado de Mim, porque somos imediatamente atraídos para um tipo de diálogo que nos tira do nosso centro de equilíbrio. Começamos a nos sentir culpados sem motivo algum, como se estivéssemos sendo colocados nesse papel pela outra pessoa. Ela tanto pode dizer: "Bem, ontem esperei o seu telefonema e você não telefonou", como "Tanta coisa horrível me aconteceu e você tinha desaparecido". Pode até mesmo acrescentar: "Todas as outras coisas ruins que vão me acontecer e você provavelmente não estará por perto também."

Essas frases podem ser adaptadas para uma ampla gama de assuntos, dependendo do tipo de relacionamento que temos com a pessoa. Se for um colega de trabalho, o conteúdo pode se referir à sobrecarga de trabalho que ele está suportando porque você não está ajudando; se se tratar de um mero conhecido, ele pode simplesmente começar a falar sobre a vida ruim que leva. Existem dezenas de variações, mas o tom e a estratégia básica são os mesmos — sempre um apelo à solidariedade e a afirmação de que de alguma forma você é responsável.

A estratégia óbvia no drama do Coitado de Mim é nos desequilibrar e ganhar a nossa energia, criando em nós um sentimento de culpa ou dúvida. Ao assumirmos essa culpa, passamos a enxergar o mundo da outra pessoa através dos olhos dela, e de imediato ela sente a onda da nossa energia acrescentada à sua, e assim passa a se sentir mais segura.

Lembre-se que esse drama é quase totalmente inconsciente. Ele nasce de uma visão pessoal do mundo e de uma estratégia para controlar os outros adotadas no início da infância. Para o Coitado de Mim, o mundo é um lugar onde não se pode contar com as pessoas para satisfazer suas necessidades de nutrição e bem-estar, e um lugar assustador demais para arriscar-se a perseguir essas necessidades direta ou positivamente. No mundo do Coitado de Mim, a única maneira de agir razoável é pedir simpatia através da culpa e de rejeições denunciadas.

Infelizmente, por causa do efeito que essas crenças e intenções inconscientes têm sobre o mundo, muitas vezes o mesmo tipo de pessoas que o Coitado de Mim teme são exatamente aquelas que ele permite que entrem em sua vida. E os acontecimentos muitas vezes são traumatizantes. A resposta do universo é produzir exatamente o tipo de mundo que a pessoa espera, e desse modo o drama é um círculo vicioso e sempre acaba se justificando. Embora não se dê conta disso, o Coitado de Mim está preso numa armadilha sem saída.

Lidando Com o Coitado de Mim

Ao lidar com o Coitado de Mim, é importante nos lembrarmos de que o propósito do drama é adquirir energia. Temos que começar com a disposição de conscientemente doar energia ao Coitado de Mim enquanto conversamos com ele; esta é a maneira mais rápida de interromper o drama. (Enviar energia é um processo exato, que estudaremos no Capítulo 9.)

Em seguida, devemos avaliar se a culpa é justificada ou não. Certamente haverá em nossa vida muitas ocasiões em que devemos nos preocupar por termos decepcionado alguém, ou nos solidarizar com uma pessoa em situação difícil. Mas essa necessidade deve ser determinada por nós, não por outrem; só nós podemos decidir quando e até que ponto temos a responsabilidade de ajudar alguém.

Uma vez que tenhamos doado energia para o Coitado de Mim e determinado que estamos presenciando um drama em ação, o próximo passo é dar nome aos bois — isto é, fazer do próprio drama de controle o objeto da conversa.[2] Ninguém consegue sustentar um drama inconsciente se ele for alçado à consciência e colocado em discussão. Isso pode ser feito com uma afirmação como: "Sabe, neste momento estou com a impressão de que você acha que eu deveria me sentir culpado."

Aqui devemos estar preparados para proceder com coragem, porque apesar de estarmos apenas procurando lidar honestamente com a situação, a outra pessoa pode interpretar isso como rejeição. Nesse caso, a reação típica é: "É, eu sabia que você não gostava de mim." Em outros casos, a pessoa pode se sentir ofendida e zangada.

Na minha opinião, é muito importante apelar para a pessoa para que escute e dê prosseguimento ao diálogo. Mas isso só poderá dar certo se durante toda a conversa estivermos constantemente doando à pessoa a energia de que ela precisa. Acima de tudo, temos que perseverar, se desejamos melhorar a qualidade do relacionamento. Na melhor das hipóteses, a pessoa vai nos escutar quando expusermos o seu drama, e vai conseguir abrir-se para um grau maior de autoconsciência.

O Distante

Um drama de controle um pouco menos passivo é o do Distante. Quando começamos uma conversa e de repente percebemos que não estamos conseguindo obter uma resposta direta, constatamos que penetramos no campo energético de alguém que está usando esta estratégia. A pessoa com quem estamos conversando se mostra distante, desligada, misteriosa em suas respostas. Se lhe perguntamos sobre o seu passado, por exemplo, a resposta é um resumo vago, tal como: "Andei viajando por aí", sem mais especificações.

Durante essa conversa, sentimos que temos que fazer uma pergunta suplementar, mesmo que se trate de um assunto bem simples. Teremos que dizer, talvez: "Viajando por onde?", e recebemos a resposta: "Por muitos lugares."

Aí podemos discernir claramente a estratégia do Distante: criar constantemente em torno de si uma aura de vaguidão e mistério, forçando-nos a gastar muita energia garimpando informações que normalmente deveriam ser fornecidas de maneira casual. Quando fazemos isso, estamos intensamente concentrados no mundo da pessoa, olhando através dos olhos dela, esperando compreendê-la melhor, e assim estamos lhe dando a carga de energia que ela busca.

Temos que nos lembrar, no entanto, de que nem todo mundo que se mostra vago ou se recusa a nos dar informações sobre si mesmo está utilizando o drama do Distante; a pessoa pode simplesmente desejar permanecer anônima por um motivo qualquer. Toda pessoa tem o direito à privacidade e a revelar aos outros apenas aquilo que desejar.

Entretanto, utilizar essa estratégia de distanciamento para adquirir energia é algo muito diferente. Para o Distante, trata-se de um método de manipulação que procura nos atrair, no entanto nos mantém à distância. Se concluirmos que a pessoa simplesmente não deseja conversar conosco, por exemplo — e assim passamos a prestar atenção em outra coisa — muitas vezes o Distante voltará a interagir conosco, dizendo alguma coisa destinada a nos atrair de volta à interação, para que a energia possa continuar fluindo em sua direção.

Como no caso do Coitado de Mim, essa estratégia vem de situações passadas. Em geral o Distante não conseguia comunicar-se livremente quando criança, pelo fato de isso ser ameaçador ou perigoso. Nesse ambiente, o Distante aprendeu a ser constantemente vago ao se comunicar com os outros e, ao mesmo tempo, encontra um modo de ser ouvido, para adquirir energia dos outros.

Como no caso do Coitado de Mim, a estratégia do Distante é baseada num conjunto de teorias inconscientes a respeito do mundo. O Distante acredita que o mundo está cheio de pessoas a quem não se podem confiar informações pessoais; ele julga que a informação será usada contra ele mais tarde, ou servirá de base para críticas. E, como sempre, essas teorias irradiam-se do Distante e vão influenciar os tipos de acontecimentos que advirão, cumprindo a sua intenção inconsciente.

Lidando Com o Distante

Para lidar de maneira eficaz com alguém que esteja usando o drama do Distante, temos que nos lembrar de começar por enviar energia; enviando uma energia de amor em vez de nos tornarmos defensivos, aliviamos a pressão que faz com que a manipulação continue. Sem essa pressão, podemos começar de novo, dando nome aos bois e fazendo do drama o assunto da conversa, para trazê-lo à consciência da outra pessoa.

Como no caso anterior, podemos esperar uma entre duas reações. A primeira: o Distante pode fugir à conversa e cortar toda a comunicação. Naturalmente, isso é sempre um risco que deve ser corrido, porque dizer qualquer outra coisa seria continuar a fazer o jogo. Nesse caso, só podemos desejar que a nossa maneira direta de agir inicie um novo padrão que levará à autoconsciência.

A outra reação do Distante pode ser continuar a conversa, mas negar estar usando o drama de controle do Distante. Nesse caso, como sempre, temos que ponderar a verdade do que a pessoa está dizendo. No entanto, se tivermos certeza da nossa percepção, temos que nos manter firmes e continuar a dialogar com a pessoa. Esperamos que da conversa se estabeleça um novo padrão.

O Interrogador

Um drama de controle mais agressivo, que hoje permeia toda a sociedade moderna, é o do Interrogador. Nessa estratégia de manipulação, a pessoa usa a crítica para adquirir energia dos outros.

Na presença de um Interrogador sempre temos a impressão distinta de que estamos sendo fiscalizados. Ao mesmo tempo, temos a sensação de que nos coube desempenhar o papel de uma pessoa inapta ou incapaz de cuidar da própria vida.

Temos essa sensação porque o indivíduo com quem estamos interagindo nos puxou para uma realidade onde ele sente que a maioria das pessoas está cometendo erros enormes na vida, e que cabe a ele corrigir essa situação. O Interrogador pode dizer, por exemplo: "Sabe, você não se veste de maneira adequada para o seu tipo de trabalho", ou "Já percebi que você não limpa muito bem a sua casa". Com a mesma facilidade, a crítica poderia visar o nosso desempenho profissional, o modo como falamos ou uma ampla gama de características pessoais. Não faz diferença — qualquer coisa funcionará, contanto que a crítica nos desequilibre e nos deixe inseguros.

A estratégia inconsciente do Interrogador é apontar alguma coisa sobre nós que nos desequilibre, na esperança de nos convencer da verdade dessa crítica para que adotemos a sua visão do mundo. Quando isso ocorre, começamos a enxergar a situação pelos olhos do Interrogador, e assim lhe passamos energia. A intenção do Interrogador é ser o juiz da vida das outras pessoas, de modo que, logo que o diálogo tem início, os outros imediatamente aceitem sua visão do mundo, fornecendo-lhe um fluxo regular de energia.

Assim como os outros dramas, este surge de teorias projetadas. O Interrogador acredita que o mundo só será seguro ou organizado se ele estiver vigiando o comportamento e a atitude de todas as pessoas, e fazendo correções. Nesse mundo ele é o herói, o único que presta atenção e se encarrega de providenciar para que as coisas sejam feitas com cuidado e perfeição. Geralmente o Interrogador vem de uma família onde as figuras do pai e da mãe eram distantes ou não cuidavam das necessidades dele; na insegurança desse vazio energético, o Interrogador captava atenção e energia da única maneira possível: apontando erros e criticando o comportamento da família.

Quando a criança cresce, carrega consigo essas teorias a respeito de como é o mundo e como são as pessoas, e essas teorias por sua vez criam esse tipo de realidade na vida do Interrogador.

Lidando Com o Interrogador

Lidar com o Interrogador é uma questão de manter-se suficientemente centrado para lhe fazer ver como estamos nos sentindo em sua presença. Também aqui o segredo é não assumir uma postura defensiva, e enviar energia de amor, enquanto explicamos que ele nos faz sentir vigiados e criticados.

Também o Interrogador poderá ter várias reações diferentes. Primeiro, pode negar ter o hábito de criticar, mesmo diante de exemplos. Mais uma vez, precisamos considerar a possibilidade de estarmos equivocados, ouvindo críticas onde elas não existiram. Se, por outro lado, temos certeza dessa percepção, então podemos apenas expressar a nossa posição, esperando que possa surgir um diálogo verdadeiro.

Outra reação que o Interrogador poderá ter é virar a mesa e nos acusar de excessivamente críticos; se isso acontecer, precisamos avaliar se essa acusação é verdadeira. No entanto, se temos certeza de que isso não é verdade, devemos voltar a conversar sobre a sensação que experimentamos na sua presença.

Uma terceira reação que o Interrogador poderá ter é questionar se as críticas são válidas e precisam ser feitas, e nos acusar de estarmos evitando olhar para os nossos próprios defeitos. Mais uma vez, temos que ponderar a verdade dessa afirmação, mas, se tivermos a certeza da nossa posição, poderemos citar vários exemplos de que as críticas do Interrogador foram desnecessárias ou feitas de maneira errada.

Todos nós enfrentamos situações em que sentimos que os outros estão fazendo alguma coisa que não parece ser em seu benefício. Podemos sentir que devíamos intervir e apontar o erro; o essencial é o modo como intervimos. Acho que devemos procurar fazer afirmações neutras, tais como: "Se os meus pneus estivessem carecas assim, eu compraria novos", ou: "Quando estive nessa situação, larguei o emprego antes de arranjar outro e me arrependi".

Há maneiras de intervir que não arrancam a pessoa de seu ponto de vista, nem minam a sua confiança como faz o Interrogador, e essa diferença lhe deve ser explicada. Também aqui, pode ser que a pessoa rompa o relacionamento em vez de escutar o que estamos dizendo, mas este é um risco que temos que correr para sermos fiéis à nossa experiência.

O Intimidador

O drama de controle mais agressivo é a estratégia do Intimidador. Podemos perceber que entramos no campo energético de tal pessoa porque não apenas nos sentimos exaustos ou constrangidos; sentimo-nos ameaçados, talvez até mesmo em perigo. O mundo se torna sinistro, ameaçador, descontrolado. A pessoa que utiliza essa estratégia dirá e fará coisas que sugerem que, a qualquer momento, ela poderá explodir de raiva ou tornar-se violenta. Ela pode narrar casos em que feriu outras pessoas, ou demonstrar a extensão da sua raiva quebrando móveis ou arremessando coisas.

A estratégia da pessoa intimidadora é ganhar a nossa atenção e assim a nossa energia, criando um ambiente em que nos sentimos tão ameaçados, que lhe damos toda a nossa atenção: quando alguém nos dá a impressão de que pode perder o controle ou fazer algo perigoso, nós fazemos questão de observá-la atentamente. Se estamos conversando com uma pessoa assim, geralmente evitamos discutir o ponto de vista dela. Naturalmente, quando olhamos nos olhos dela, tentando discernir (para a nossa própria segurança) o que ela poderá fazer, ela recebe a carga de energia de que necessita tão desesperadamente.

Esta estratégia de intimidação geralmente tem origem num passado de severa carência energética, mais comumente envolvendo relacionamentos com outros Intimidadores que são dominadores e abusados, e onde nenhuma outra estratégia para recuperar a energia iria funcionar. Não adiantaria prender as pessoas na armadilha do Coitado de Mim — ninguém se importa. Certamente tampouco vão perceber se a pessoa estiver bancando o Distante. E qualquer tentativa de ser um Interrogador é recebida com raiva e hostilidade. A única solução é suportar a falta de energia até ser suficientemente grande para que a pessoa seja, por sua vez, um Intimidador.

O mundo que o Intimidador enxerga é um mundo de violência e hostilidade; um mundo no qual cada pessoa está perdida num supremo isolamento, onde todos rejeitam e ninguém se importa — e é exatamente isso que essas teorias trazem para a vida do Intimidador.

Lidando Com o Intimidador

O confronto com o Intimidador é um caso à parte. Por causa do perigo, na maioria dos casos, é melhor simplesmente manter distância. Se existe um longo relacionamento com o Intimidador, em geral o melhor a fazer é colocar a situação nas mãos de um profissional. O plano de ação terapêutico, naturalmente, é bem parecido com os dos outros dramas. O sucesso com esse tipo de pessoa exige que lhe seja dada a sensação de segurança; é preciso transmitir-lhe energia de apoio e fazer com que tome consciência da realidade do seu drama. Infelizmente há muitos Intimidadores por aí que não recebem ajuda e vivem em estados alternados de medo e raiva.

Muitas dessas pessoas terminam às voltas com a Justiça, e certamente é sensato mantê-las fora da sociedade. Mas um sistema que as mantém presas sem qualquer intervenção terapêutica e depois torna a libertá-las não compreende nem alcança a raiz do problema.[3]

Superando o nosso Drama de Controle

Todos nós escutamos, ao longo da vida, queixas dos outros a respeito dos nossos padrões de comportamento. A tendência humana é ignorar ou racionalizar essas queixas para poder prosseguir com o estilo de vida escolhido. Mesmo hoje, que o conhecimento dos hábitos e roteiros autodestrutivos está se tornando uma parte maior da consciência humana, achamos muito difícil enxergar o nosso comportamento pessoal de maneira objetiva.

No caso de dramas de controle graves em que a pessoa tenha procurado ajuda profissional, as reações de crise podem desfazer anos de progresso e crescimento na terapia quando os velhos padrões, que se julgavam superados, reaparecem. Aliás, uma das mais recentes revelações entre os terapeutas profissionais é que o verdadeiro progresso exige mais do que a catarse que ocorre durante a exploração pessoal dos traumas da primeira infância.[4] Agora sabemos que para acabar com essas tentativas inconscientes de adquirir energia e segurança precisamos nos concentrar na base existencial — mais profunda — do problema, e enxergar além da visão intelectual para ganhar acesso a uma nova fonte de segurança, que poderá funcionar independentemente das circunstâncias externas.

Estou me referindo aqui a um tipo diferente de catarse — aquele que ao longo da História os místicos apontam, e do qual cada vez mais ouvimos falar. Sabendo o que sabemos sobre as disputas de energia na sociedade humana, o nosso desafio é nos examinarmos atentamente, para que possamos identificar o nosso conjunto particular de teorias e as intenções que constituem o nosso drama, e encontrar outra experiência que nos permita a abertura para a nossa energia interior.

6

A Experiência Mística

A IDÉIA DA EXPERIÊNCIA mística começou sua viagem para o inconsciente coletivo da cultura ocidental no final da década de 50, principalmente como resultado da popularização das tradições orientais — hindus, budistas e taoístas — levada a cabo por escritores e pensadores como Carl Jung, Alan Watts e D. T. Suzuki.[1] Essa disseminação continuou nas décadas seguintes com uma infinidade de obras, inclusive as de Paramahansa Yogananda, J. Krishnamurti e Ram Dass,[2] todos eles afirmando a existência de um encontro interior místico que pode ser vivido individualmente.

Durante essas mesmas décadas, um grande público passou a interessar-se pela rica tradição espiritual esotérica que possuímos também no Ocidente. Os pensamentos de São Francisco de Assis, Meister Eckhart, Emanuel Swedenborg e Edmund Bucke mereceram atenção, porque esses pensadores, como os místicos orientais, afirmavam a existência da transformação interior.[3]

Acredito que tenhamos finalmente chegado a um ponto em que a idéia de uma experiência pessoal transcendental — chamada também de iluminação, nirvana, satori, transcendência e consciência cósmica — alcançou um significativo nível de aceitação, tornando-se parte integral da nossa nova consciência espiritual. Como cultura, começamos a aceitar os encontros místicos como algo real e ao alcance de todos os seres humanos.

Passando da Idéia à Experiência

A nossa cultura ocidental começou a explorar a experiência mística com longas discussões e especulações intelectuais. Precisávamos nos familiarizar com os novos conceitos e estávamos lutando para encontrar um modo pessoal de integrar essas idéias à nossa idéia ocidental da realidade. Esses debates estimulavam o nosso interesse e lançavam nova luz nas nossas próprias idéias espirituais abstratas, conceitos como *a comunhão com Deus*, *a busca do reino interior* e *o renascimento.*

Em certo sentido, no entanto, essas discussões continuavam no reino da aceitação abstrata do lado esquerdo do cérebro.[4] Embora muitos de nós tivéssemos a intuição da possibilidade de tais encontros, apenas uns poucos realmente experimentaram verdadeiros momentos de transcendência. No entanto, a popularização prosseguia e, em minha opinião, estamos nos aproximando cada vez mais da realização popular dessa experiência. Hoje ouvimos descrições pessoais detalhadas de encontros místicos, não apenas retiradas de livros ou conferências, mas relatadas por pessoas que conhecemos. Por causa disso, esta idéia está se tornando uma realidade vivenciada — confirmada em outras pessoas e expressa com uma consistência que nos garante que a experiência interior transcendental é algo que realmente acontece a pessoas reais.

Isto está nos ajudando a atingir um novo nível de honestidade, especialmente com nós mesmos. Se olharmos para dentro de nós e percebermos que ainda não tivemos um encontro como esse, então a nossa busca da experiência transcendental pode se tornar uma prioridade máxima. E acho que percebemos também que o encontro interior e transformador pode ocorrer de muitas maneiras, ao longo de muitos caminhos.

O importante não é determinada religião, prática ou atividade que nos leve até lá, mas a percepção mística expandida que é o nosso destino. É a experiência em si que expande a nossa consciência e nos imbui de uma sensação de segurança, bem-estar e clareza com que jamais tínhamos sonhado.

Experimentando a Transcendência nos Esportes

Todos comentam a experiência do "barato" que pode ser provocado pela prática de esportes e de atividades recreativas. Durante essa experiência, sentimos uma mudança na atenção, começando geralmente com uma sensação de total imersão na ação. O nosso corpo começa a nos parecer diferente, como se se movimentasse com mais eficiência e graciosidade, mais completamente em uníssono com o nosso objetivo.

Em vez de estarmos separados da atividade, observando-a e reagindo a ela, começamos a nos sentir parte do fluxo, parte do momento total, como se soubéssemos de antemão aquilo que vai acontecer, para onde a bola vai, o que os outros jogadores farão. Dessa maneira reagimos espontaneamente, em harmonia, para estarmos no lugar certo, no momento certo.

Muitas vezes o próprio tempo começa a se modificar, a ficar mais lento. Num estado normal, geralmente temos a sensação de que o jogo está se desenrolando depressa demais, que estamos constantemente correndo, fazendo esforço para planejar o próximo lance; mas na zona — ou durante uma experiência de transcendência — temos a sensação de que o tempo fica mais lento à medida que a nossa consciência se alça para um ponto de vista mais elevado e mais onipotente. Nesse estado, parecemos ter todo o tempo do mundo para acertar a bola ou saltar para o rebote. Quando observamos atletas atuando nesse nível, sentimos que eles desafiam a gravidade, ficam no ar mais tempo do que parece ser possível e fazem jogadas espetaculares.

Nas duas últimas décadas, surgiu uma grande quantidade de livros descrevendo o aspecto interior de cada esporte, e isso acontece especialmente no golfe. O livro *Golf in the Kingdom*, de Michael Murphy, vendeu mais de um milhão de exemplares porque descreve com grande perfeição a experiência interior associada a esse esporte.[5] Acredito que a popularidade crescente do golfe em todo o mundo se deva aos desafios e às recompensas especiais desse jogo. De uma maneira ou de outra, temos que aprender a acertar numa bolinha branca com menos de três centímetros de diâmetro, usando um bastão comprido cuja cabeça não é muito maior do que a própria bola. Os defensores do golfe costumam insistir que se trata do jogo mais difícil de todos, precisamente por isso. É bem verdade que no golfe tentamos acertar uma bola parada, mas isso causa uma dificuldade adicional: somos nós sozinhos enfrentando a pressão do longo movimento em arco numa rota relativamente estreita na direção de um alvo distante. Em outros jogos, o ritmo da ação e o movimento da bola podem nos manter livres e dentro de um padrão de reação; no campo de golfe, porém, estamos constantemente combatendo os efeitos maléficos do medo, da tensão, e pensando demais, e além disso temos que iniciar a jogada em posição totalmente imóvel.

Talvez seja esse desafio interior que torne tão imensa a atração do golfe, e a experiência do "barato" tão identificável depois que a atingimos: não há como confundir o estado mental no qual o corpo toma conta e começa a trabalhar sem esforço, e chega a parecer que estamos dirigindo a bola para o alvo com a força mental.

A Dança e as Artes do Movimento

Todo mundo já viu praticantes de artes marciais que conseguem façanhas de total coordenação e bailarinos que parecem flutuar no ar; essas atividades representam outro caminho através do qual algumas pessoas relatam ter atingido a experiência transcendental. Como a rotação tradicional dos derviches da ordem islâmica Sufi, muitas formas de dança nos tiram do nosso estado de consciência normal e nos ligam a uma consciência espiritual interior mais elevada.

Os dançarinos relatam a mesma sensação de expansão de consciência que os atletas experimentam no esporte, especialmente a sensação de suprema coordenação muscular. Além disso, muitas pessoas descrevem uma espécie de experiência extática durante uma sessão de dança livre na qual os movimentos são espontâneos e os pensamentos são afastados para bem longe. Durante esses movimentos, parecemos ser a própria dança, expressando um aspecto interior do nosso ser que sentimos que é o nosso Eu superior.

As artes marciais concebem essas experiências em termos de cultivar um grau mais elevado de energia espiritual e usá-la na prática de movimentos e de façanhas de força física. Através da atenção e de movimentos repetidos, essas práticas gradualmente nos transportam para um despojamento consciente do modo normal de ser e de se concentrar.

A Oração e a Meditação

A oração e a meditação, dois caminhos dos mais tradicionais, com freqüência levam à experiência da transformação interior. Toda grande religião do mundo usa uma dessas formas de comunicação com o divino. Em geral, quando oramos, invocamos um criador ou uma força divina, por um motivo qualquer — de maneira ativa pedimos ajuda, orientação ou perdão. Temos na mente alguma coisa que desejamos. Mas oramos também pela pura experiência de comunhão ou ligação.

Quando praticada neste sentido, a oração se parece muito com a meditação — pois acalma a mente, afasta o tagarelar do ego, procura uma ligação mais elevada. Algumas tradições religiosas sugerem como ajuda o uso de um mantra (palavras ou sons repetidos, usados como invocação ou nos quais nos concentramos). A pessoa que medita aprende a deixar passarem os pensamentos que surgirem e voltar a se concentrar no mantra e no silêncio da meditação. Em certo ponto, os pensamentos casuais começam a diminuir e a pessoa entra em relaxamento mais profundo, até que a sensação do eu comum começa a expandir-se na experiência da transcendência.

Tanto a oração ativa quanto a meditação podem levar a uma experiência interior transformadora, em que a nossa ligação com o divino é percebida numa maneira extática de nos tornarmos unos com a totalidade do universo.

Os Ritos Sagrados

De todos os caminhos para a experiência mística, a alteração de consciência que ocorre às vezes em locais do planeta sagrados ou selvagens pode ser a mais intrigante. É claro que em certo sentido todos os lugares do nosso planeta são sagrados, e a transformação mística pode acontecer em qualquer local; no entanto, ao longo da História certos locais mostraram-se especialmente propícios a tais estados de consciência mística.

Em geral esses locais têm características físicas muito específicas. Em primeiro lugar, são quase sempre incrivelmente belos; podem ter cachoeiras, florestas como grandes catedrais ou amplas paisagens ao longo de picos de pura rocha e deserto. Ou podem estar cheios de artefatos ou ruínas que guardam a energia de povos antigos. De qualquer maneira, alguma coisa na majestade e no ser físico do local eleva e amplia a nossa consciência interior.

Tudo que temos que fazer é caminhar para o local; se nos mostrarmos minimamente abertos, começaremos a nos sentir diferentes, mais do que nós mesmos. Sentimo-nos fisicamente unos com tudo à nossa volta e com toda a criação — uma sensação que enche o nosso interior de segurança, bem-estar e sabedoria.

Localizando Lugares Sagrados

A maioria de nós conhece os locais sagrados famosos, tais como Stonehenge, as Grandes Pirâmides, o Grand Canyon e Machu Picchu, mas um local sagrado não precisa ser famoso; eles podem ser encontrados em todo os estados, em todos os condados dos Estados Unidos e em todo o mundo. Muitos foram representados na arte e no folclore por povos nativos; outros, no entanto, nunca foram relatados ou documentados em nossa época, e permanecem intocados nas poucas áreas selvagens restantes no mundo.

Por causa disso eles devem ser redescobertos por você e por mim — uma busca que, acredito, já está sendo efetuada. Na maioria dos casos, existe alguém que no mínimo intui onde ficam esses lugares especiais, e que poderia servir como um potencial protetor. Se você não tem certeza de onde ficam os locais especiais da sua região, sugiro que antes pesquise com as pessoas idosas que você conhece ou numa associação de idosos; em geral vai encontrar uma mina de informações e algumas vezes testemunhos sobre o poder de um local sagrado nas vizinhanças. Você certamente se entristecerá com os casos de locais especiais que foram destruídos por desmatamentos, atividades de mineração ou projetos de construção mal planejados.

Outra maneira de localizar esses lugares especiais é visitar o parque estadual ou nacional mais próximo e olhar em volta por si mesmo. Pode ser que logo atrás da primeira colina encontre um lugar de incrível poder para você. Passe algum tempo ali e verifique.

Você de certo ficará alerta às ameaças a esses lugares, pois eles estão sendo destruídos em ritmo acelerado. Mesmo nos Estados Unidos, o Congresso ainda permite que corporações multinacionais desmatem algumas de nossas áreas silvestres remanescentes em terras públicas, lindas regiões com árvores centenárias. A maioria dos cidadãos não sabe desse sistema atual de corrupção organizada às custas da herança dos nossos filhos.

Características que Identificam a Experiência Mística

Enquanto a sincronicidade nos leva a dar o próximo passo para a experiência mística direta, estamos todos superando a tentação de simplesmente intelectualizar essa viagem. Amar a idéia da transformação mística, sentir-se intrigado, pensar nela é ótimo como primeiro passo; mas acreditar intelectualmente não é o mesmo que vivenciar a experiência — como estamos todos caminhando para reconhecer.

Torno a mencionar isso porque o velho paradigma materialista nos faz pensar e analisar constantemente, fazendo com que nos relacionemos com os lugares e as coisas dentro dessa perspectiva. É claro que ninguém, além de você próprio, está qualificado para diagnosticar se você já experimentou essa abertura interior para o divino. É por isso que a experiência sempre foi tão fugaz e misteriosa. O que estamos buscando é mais do que a mera apreciação intelectual da beleza de um lugar especial, ou o confortável relaxamento da prece ou da meditação, ou o entusiasmo do sucesso esportivo.

Todos nós precisamos encontrar essa experiência espiritual que nunca tivemos antes, que expande de dentro para fora a nossa consciência do ego, transformando a compreensão de quem somos, abrindo-nos para a inteligência por trás do universo. É por isso que muitas vezes temos que esperar até passarmos por essa experiência para compreendermos exatamente em que ela consiste. Até então não temos um exemplo verdadeiro de como seremos afetados por ela.

Mesmo assim, acredito que as menções cada vez mais freqüentes à experiência transcendental estão contribuindo nesse sentido. Os místicos sempre afirmaram que a experiência do absoluto que pode ser descrita não é a experiência verdadeira, e concordo com eles; por outro lado, parece haver padrões de avaliação para essa experiência que estão emergindo na consciência humana e que podem nos orientar ao longo do caminho e nos ajudar a determinar se a experiência está realmente ocorrendo.

A Sensação de Leveza

Uma das características que podemos esperar é a sensação de leveza. Durante uma experiência mística, em vez de termos que lutar contra a gravidade, sendo obrigados a nos empurrar para longe da terra com os pés cada vez que ficamos de pé ou caminhamos, começamos a experimentar a sensação que nos assalta quando estamos descendo num elevador muito rápido: nossa sensação de peso diminui, e começamos a experimentar a sensação de quase flutuar.

Esse fenômeno parece ocorrer em todas as experiências místicas — seja durante a oração, a meditação, a dança ou qualquer dos outros caminhos. Podemos estar numa posição iogue, praticando *tai ch'i* ou caminhando para um local de grande beleza quando, de repente, nosso sentido do próprio corpo começa a mudar; sentimos uma energia que começa a nos preencher a partir de dentro, mas que ao mesmo tempo remove a tensão e a rigidez de nossos músculos. A sensação de movimento também se modifica; em vez de nos movermos com uma sensação de cada músculo fazendo força para baixo contra o solo, o nosso corpo inteiro passa a movimentar-se a partir de um local central no nosso tronco.

Quando ficamos de pé ou caminhamos, fazemos menos esforço para movimentar pernas e braços, porque a energia para isso emana agora dessa fonte central. Aliás, o poder dessa energia nos dá a sensação de que estamos pairando ou flutuando acima do solo. Isso explica por que as disciplinas de movimento da ioga, da dança e das artes marciais são tão propícias à transcendência interior. Elas nos permitem experimentar a gravidade de uma maneira nova, liberando a energia interior e, quando ela vem totalmente, nós nos sentimos expandidos a tal ponto, que o nosso corpo começa a tomar uma postura perfeita — a cabeça se ergue e a nossa espinha se distende; nossas costas ficam mais fortes, eretas por sua própria energia, e não por causa de um esforço muscular intencional.

Portanto, a sensação de leveza é uma indicação precisa de uma experiência mística. É uma coisa que podemos medir; sabemos que quando transcendemos começamos a nos sentir mais leves, como se um canal de energia espiritual dentro de nós estivesse nos inflando.

A Sensação de Proximidade e de União

Outra mudança na percepção bastante conhecida, que ocorre durante uma experiência interior transcendental, diz respeito ao grau de intimidade que sentimos com os objetos à nossa volta — isto é, de repente tudo parece estar mais perto. Isso pode acontecer durante qualquer um dos caminhos para o misticismo já mencionados, mas seu efeito aumenta quando estamos numa região em que podemos enxergar ao longe.

Nessa situação, uma nuvem distante a flutuar no céu parece de repente ficar mais presente em nossa atenção. Em vez de fazer parte de uma paisagem bidimensional, sem qualquer interesse para a nossa atenção, a nuvem, de súbito, se destaca com uma nova sensação de formato e de presença. De repente sentimos que ela está mais perto de nós, como se pudéssemos simplesmente estender a mão e tocá-la. Nesse estado, outros objetos também parecem mais próximos: uma montanha distante, árvores numa encosta, riachos num vale. Todas essas coisas parecem agora ter mais presença e porte, mesmo estando distantes. Elas literalmente nos saltam aos olhos e exigem a nossa atenção.

A descrição mística da sensação de ser uno com todas as coisas, comumente relatada, relaciona-se com essa percepção. Ao contemplarmos o ambiente dentro desse estado de consciência, tudo em nossa atenção parece ser parte de nós, embora não no sentido de relacionar-se com as coisas do mundo enxergando através dos olhos delas; como observou Alan Watts, essa experiência nos faz sentir que tudo à nossa volta faz parte do nosso Eu maior, cósmico, e está agora enxergando através dos nossos olhos.[6]

Uma Sensação de Segurança, Eternidade e Amor

Já discutimos as importantes descobertas de místicos e psicólogos, a saber: os seres humanos costumam viver inseguros e ansiosos no mundo, apartados da fonte interior do seu ser. A vida encarada com total consciência existencial costuma ser assustadora e funesta, com a morte sempre à nossa espreita. Como já vimos, historicamente a humanidade tem lidado com essa ansiedade de duas maneiras. Uma delas é termos nos tornado inconscientes e empurrado para bem longe a realidade da nossa insegurança criando uma cultura rica, com muitas atividades, diversões e heróis mitológicos. Por isso a era moderna, por exemplo, mergulhou nas preocupações mundanas, materiais, afastando tudo que nos lembra os mistérios da existência.

Em nível pessoal, procuramos resolver essa insegurança com a tentativa de dominar outros seres humanos, seja passiva ou ativamente, recebendo assim da outra pessoa aquilo que agora sabemos ser energia espiritual, que nos faz sentir temporariamente mais realizados e mais seguros. Para obter essa energia, a maioria de nós usa os dramas de controle mais comuns. No entanto, devemos lembrar que esses dramas funcionam porque estamos com carência de energia, apartados da fonte.

É essa insegurança existencial que a abertura mística interior resolve. Portanto, uma medida desse estado de ser é uma sensação estimulante de segurança e euforia. À medida que nos abrimos para a energia divina dentro de nós, experimentamos a constatação de que a vida é eterna e espiritual. Isso advém da percepção de que somos pessoalmente parte da grande ordem do universo. Não apenas somos eternos, mas somos protegidos, incluídos no grande plano que é a vida na Terra e até mesmo importantes para esse plano. E se prestarmos bastante atenção na sensação de segurança e bem-estar que flui para dentro de nós, veremos que nos sentimos seguros porque estamos plenos de uma forte emoção que afasta todas as outras: estamos imbuídos de uma grande sensação de amor.

Naturalmente, o amor é a medida mais conhecida de transcendência interior. No entanto, trata-se de um amor diferente do amor humano a que estamos acostumados. Todos nós já sentimos uma espécie de amor que exige um objeto: a mãe, a esposa, um filho, um amigo; porém o amor que é uma característica da abertura transcendental é de outra espécie — é um amor que existe sem um objeto intencional, e se torna uma constante que tudo impregna e que mantém nossas outras emoções em perspectiva.

Acredito que essas características pelas quais podemos identificar a experiência transcendental sejam benéficas de duas maneiras. Em primeiro lugar, elas nos ajudam em nossa busca da experiência mística real. Não de antemão — pois precisamos esquecer o intelecto para podermos entrar no transcendental —, porém mais tarde, quando quisermos nos certificar se realmente conseguimos ultrapassar o nosso costumeiro nível de consciência.

Em segundo lugar, essas características nos ajudam a integrar a experiência transcendental à nossa vida cotidiana. As experiências místicas são fugazes, na melhor das hipóteses, e logo desaparecem, com a mesma rapidez com que começaram. Depois delas precisamos manter a disciplina de uma prática regular de oração, meditação ou movimento com o propósito de recuperar e intensificar a euforia do estado místico.

A cada dia devemos recordar como nos sentimos, relembrando cada uma das características, e então nos apropriarmos delas, dotálas de intenção, integrá-las à nossa vida. Como estudaremos mais tarde, só conseguiremos abandonar por completo os dramas de controle que encetamos, e lidar com as próprias manipulações, quando adquirirmos energia e segurança interior suficientes. Isso é algo que só a experiência mística pode nos dar, e depois temos que nos lembrar do nível de atenção que ela nos proporcionou.

Ao nos levantarmos da cama pela manhã, podemos recordar as características da experiência mística, e assim nos aproximar o mais possível do estado de consciência original. Lembrar a leveza e a coordenação, a sensação de proximidade e de unidade, o influxo de energia e segurança internas. O mais importante é recordar o estado de amor divino que experimentamos; através da prática, poderemos evocar a lembrança desse sentimento até estarmos cheios de amor para nos guiar ao longo do nosso dia.

Se esse amor se manifestar, saberemos então que estamos abertos para a fonte divina de energia que está sempre dentro de nós.

É claro que isso não significa que nunca mais sentiremos as emoções negativas — raiva, ciúme, ódio, mas sim que com essa prática a constância do amor impede que essas emoções negativas tomem conta da nossa mente. Elas são reduzidas a proporções razoáveis, para que possamos senti-las e abandoná-las, enfocando novamente o amor que está em toda parte de nós e energiza o nosso ser.

Acredito que devemos novamente recordar que só nós, como indivíduos, podemos ter a intenção de que essas medidas se tornem parte da nossa vida cotidiana. Depois de uma experiência de transcendência, devemos manter a disciplina de integrá-las à nossa vida. Perto de pessoas que mostram ter essa consciência, podemos recordá-las, porém não há coisa alguma que substitua voltar conscientemente à fonte para aumentar a repercussão dessas características na nossa vida pessoal.

Quando assumimos esse compromisso disciplinado de manter a abertura energética que experimentamos, começamos a dar o passo seguinte. Começamos a perceber uma aceleração nas coincidências, pois estamos agora nos tornando mais conscientes do caminho próprio e único do nosso destino.

7

Descobrindo Quem Somos

Uma vez que tenhamos alcançado a experiência transcendental e estando abertos para um fluxo maior de energia e segurança interior, algo muito profundo começa a ocorrer: começamos a enxergar nós mesmos e nosso comportamento de uma perspectiva mais elevada, do ponto de vista do nosso Eu mais energizado. O sentido de identidade supera as reações de insegurança do nosso ego e assume o ponto de vista de uma testemunha, agora identificado com toda a criação divina e apto a ver com nova objetividade o nosso Eu definido pela sociedade.

A partir desse ponto de vista, acredito que uma das primeiras coisas que observamos nitidamente é como nós pessoalmente reagimos sob tensão. Pela primeira vez podemos ver com clareza o nosso próprio drama de controle. Isso pode acontecer em qualquer lugar: no trabalho, no mercado, talvez durante uma conversa com alguém importante em nossa vida. A princípio estamos vivendo plenamente a nossa nova abertura quando acontece alguma coisa; a situação fica tensa e nós retornamos ao nosso antigo drama.

Fazemos força para manter a energia do nosso Eu superior, manter a posição de testemunha, mesmo que parte de nós continue com o comportamento defensivo. É nessa ocasião que podemos ter uma sensação de revelação a respeito de nós mesmos ao observarmos os nossos atos. Antigos comentários sobre os nossos padrões e roteiros, comentários que na época negamos com tanta veemência, podem ressurgir à tona com uma nova legitimidade. Podemos até pensar: "Então é assim que eu realmente me comporto sob pressão."

Podemos estar vendo um Coitado de Mim tentando criar culpa, o alheamento de um Distante, as críticas de um Questionador ou a postura atemorizante de um Intimidador. De qualquer maneira, passamos pela experiência de enxergar todas as nossas manipulações para obter energia das outras pessoas.

As Disputas de Poder no Ambiente Familiar da Infância

Então a pergunta se impõe: de onde se originou esse nosso comportamento e o que podemos fazer a respeito disso?

Esse questionamento nos remete às pesquisas pioneiras dos anos 60 e 70 a respeito da dinâmica familiar. Sabemos que é a família, especialmente os pais, a estrutura da nossa primeira exposição ao mundo. (Se nossos pais não estavam presentes, havia outras pessoas assumindo esse papel.) Ao imitar-lhes as atitudes e o comportamento, aprendemos com essas pessoas a nossa primeira noção do que é o mundo.

Como o psicólogo James Hillman deixa bem claro em seu recente livro *O Código do Ser*,[1] todos nós chegamos a este mundo dotados de caráter e vocação, mas a névoa do nascimento obscurece essa compreensão de nós próprios, e os esforços da infância podem ser intensos e muito assustadores. Quando nascemos, perdemos a nossa ligação segura com o amor e a energia divinos — de repente nos tornamos dependentes dos outros para obter alimento, proteção e segurança.

Com demasiada freqüência, recebemos amor e energia de menos, porque as pessoas que nos criam têm pouco para dar e funcionam através dos próprios dramas de controle. Alguns pais sugam inconscientemente a energia de seus filhos pequenos, forçando-os a moldar seus próprios dramas para poderem se defender. Por exemplo, um Coitado de Mim pode estar sempre diminuindo o filho por este não ajudar em casa, ou até mesmo culpá-lo por seus problemas, dizendo algo como: "Se eu não tivesse você, poderia ter ido longe na minha carreira." O pai Distante mostrar-se-á ausente, insinuando que seu amor não é incondicional. Um Questionador irá encontrar defeitos constantemente. E um Intimidador criará um clima de medo.

Quando crianças, a princípio acreditávamos nesses dramas, permitindo que nossa energia fosse sugada. Mas em certo ponto nossas defesas foram estimuladas e começamos a desenvolver nossa própria estratégia para fazer cessar a perda de energia e auto-estima. Para com o Coitado de Mim e o Distante, em geral desenvolvemos uma postura de Questionador, combatendo o sentimento de culpa ou reprimindo o distanciamento com uma crítica de determinada característica ou atitude que encontramos neles. Para com um Questionador, podíamos questionar de volta, ou adotar a fachada indiferente do Distante.

O caso do Intimidador é mais complexo. Quando a situação da criança é de abuso e medo, a maioria reage a princípio com o drama do Coitado de Mim. Se o Intimidador aceita a culpa e começa a dar energia de volta, a coisa acaba aí. Mas se a atitude de Coitado de Mim não funcionar, o único recurso contra essa ameaça mortal que é o furto de energia é a criança virar ela própria um Intimidador — às vezes contra aqueles que tentam intimidá-la, porém com freqüência contra crianças menores ou pessoas com menos poder.[2]

A Libertação do Perdão

Sustentados pelo nosso atual nível de energia mais elevado, enfrentamos agora um desafio ao prosseguimento da nossa evolução. Uma vez que estudemos de perto a dinâmica do ambiente familiar da nossa infância, por mais traumatizante que ele possa ter sido, devemos evitar a tendência para a culpa e o ódio. Como veremos mais tarde, o progresso da nossa consciência está nos levando, em última análise, a ver tudo que aconteceu na nossa vida pelo ponto de vista de uma dimensão além da morte, através do qual sabemos que no ponto máximo da nossa união com o divino escolhemos as circunstâncias em que nascemos. Podemos ter tido a intenção de que tudo saísse de maneira diferente, mas queríamos começar exatamente como começamos.

Se encontrarmos em nós mesmos a necessidade de culpar os pais, ou os irmãos, ou qualquer outra pessoa que tenha feito parte do início da nossa vida, isso acontece em geral porque a culpa é em si mesma parte do nosso drama de controle: contamos a história dos nossos sofrimentos para obter solidariedade ou energia, ou a usamos para racionalizar a nossa estratégia de Distantes ou Questionadores. É por isso que não conseguimos perseguir por completo uma união energética interior com o divino até nos libertarmos do nosso passado. Não podemos ir adiante e continuar a expandir a nossa energia porque a culpa sempre nos leva de volta ao antigo drama.

Só o perdão consegue liberar totalmente o nosso potencial de superar esses roteiros repetitivos que desperdiçam nosso tempo. E creio que o perdão precisa ser expresso e demonstrado para poder ser totalmente libertador. Muitos terapeutas recomendam escrever uma carta para cada pessoa a quem culpamos, oferecendo o nosso perdão. Isso não significa que precisamos conviver com essa pessoa; essa carta servirá apenas para limpar o terreno para que uma nova vida possa brotar. O perdão reforça aquela consciência superior testemunhal que já conseguimos atingir. A chave para o perdão é simplesmente reconhecer que todos estavam agindo da melhor maneira possível na ocasião.[3]

Deixando para Trás o Nosso Drama de Controle

É nesse ponto que o nosso drama de controle pode ser abandonado. Se agirmos com certa disciplina, transcendendo as velhas atitudes a respeito do passado que nos mantinham presos num padrão de reações, podemos começar a integrar plenamente o novo eu espiritual e abandonar aquela identidade socialmente definida.

Nesse estado de consciência, é mais fácil mantermos uma posição de testemunha do próprio comportamento e do caminho da nossa vida, observando os acontecimentos com fé objetiva e amor à aventura. É esta a posição de onde podemos compreender melhor e acompanhar as mensagens das coincidências, e é a posição em que mais ficamos alerta, mesmo nas situações mais tensas.

Vamos imaginar uma cena: estamos tentando permanecer na vibração do nosso Eu superior quando de repente alguém chega e faz alguma coisa que espontaneamente nos coloca na defensiva. Se o nosso drama de controle é o do Questionador, a pessoa pode nos lembrar os Distantes ou Coitados de Mim que houve no nosso passado, e provocar a mesma resposta de crítica. Podemos olhar diretamente para um defeito que encontramos na pessoa e atacá-la ali, pretendendo desequilibrá-la, para nos assegurarmos de que as reações do Distante ou do Coitado de Mim não conseguirão nos tirar energia.

Nesse momento teremos saído da vibração do nosso Eu superior e passado novamente para um nível de insegurança onde precisamos da energia dos outros. Para reduzir e depois cessar esses momentos de defesa inconsciente, temos que nos controlar logo de início. Isso já é uma coisa que demanda intenção, e é facilitada pelo compromisso de uma prática espiritual de meditação ou oração. Uma vez que tenhamos trabalhado com disciplina para manter a vibração em nosso Eu superior, no entanto, e tenhamos visto o modo como o nosso drama de controle se desenrola, temos que ficar alerta, intencionalmente, para reconhecer os primeiros sinais de um drama de controle querendo surgir.

Quando tivermos conseguido nos controlar todas as vezes, teremos começado a romper o padrão, a fazer cessar o drama antes que ele se inicie, mantendo a consciência em nosso Eu superior sem interrupções.

Intuindo um Propósito Maior para a Nossa Vida

Quando estivermos conseguindo manter-nos no nosso Eu superior quase o tempo todo, a energia e a sensação de liberdade intensificadas trarão de imediato outras perguntas: se não somos aquela pessoa que cria um drama repetitivo em nossa vida como defesa, então qual é a nossa vida? O que é que devíamos estar fazendo?

Creio que essas perguntas vêm diretamente de uma característica particular da união com o Eu superior: uma sensação interior daquilo que nossa vida deveria obter. É essa intuição que cria a necessidade de compreender o nosso destino possível a partir de uma perspectiva superior. Isso inclui a necessidade prevalente de reinterpretar o passado.

Como eram os nossos ancestrais? Onde viviam e como passavam a vida? Finalmente o enfoque retorna aos nossos pais e ao ambiente familiar na infância, e é aí que o compromisso com o perdão pode valer totalmente a pena, pois agora podemos ultrapassar os antigos ressentimentos para termos condições de examinar aquela experiência com olhar objetivo.

Acredito que a verdadeira questão a respeito da experiência familiar na infância deveria ser: por que escolhi nascer nesse lugar, com esse elenco de personagens? O que é que eu poderia ter em mente?

A Mensagem do Ambiente Familiar na Infância

O propósito dessa pergunta é encontrar uma compreensão mais elevada da nossa experiência com a nossa família de origem. É preciso lembrar que a família onde nascemos foi o ambiente em que cada um de nós aprendeu como era o mundo e o que era esperado de nós como seres humanos. Uma criança precisa aprender tudo — não apenas o nome de cada objeto no universo, mas também o significado desse objeto na vida humana. Para aprendermos, foi-nos preciso observar de perto o modo como nossos pais ou as pessoas que nos criaram interpretavam esse vasto mundo. Isso significa que passamos a primeira década da nossa vida enxergando o mundo através dos olhos dos nossos pais, vendo as descrições, as reações emocionais e a criatividade deles. E, como já sabemos, essa identificação dá forma e estrutura à nossa primeira visão do mundo.

Para descobrirmos a razão espiritual de termos nascido com os pais que temos, precisamos estudar profundamente quem eles eram, como enxergavam o mundo e — talvez o mais importante — quais eram os sonhos deles, realizados ou não.

Vendo a Nossa Mãe

Para a maioria de nós, o carinho e o amor que sentíamos de nossa mãe criaram a nossa primeira descrição do mundo — um mundo que nos responde, nos alimenta, nos é agradável, ou um mundo negligente e assustador?

Os psicólogos nos dizem que os primeiros cinco anos de vida estabelecem as teorias básicas que temos: se o mundo irá prover a nossas necessidades e se podemos ter certeza de que nossas experiências serão positivas. Se parece que nossas mães satisfazem nossas necessidades, então devemos ter uma visão basicamente positiva. Mas se não tivermos? E se a nossa primeira infância parecia muito positiva, mas mesmo assim nos encontramos, nos momentos de ansiedade, tentando combater o negativismo ou o medo interior? Se o caso for esse, devemos considerar que a imagem negativa vem de uma época anterior — uma dificuldade no parto, por exemplo, ou mesmo de uma vida passada.

Sei que muitas pessoas não têm certeza de que tiveram vidas passadas. Se você é uma delas, sugiro que leia os livros do dr. Brian Weiss, o psiquiatra cuja documentação e cujo trabalho com lembranças de vidas passadas popularizou e esclareceu esse fenômeno no mundo inteiro.[4] Em muitos casos, ao reavaliarmos o efeito da situação da infância nas nossas atitudes e na direção da nossa vida, temos que incluir a possibilidade de que algumas dessas teorias venham de uma existência anterior.

É claro que a sua mãe lhe trouxe mais do que essa primeira impressão de ter suas necessidades providas; ela lhe deu também uma interpretação do mundo específica e, às vezes, única. Para entender o ponto de vista da sua mãe, você precisa enxergá-la com a maior clareza possível, estudando os pais dela, o condicionamento cultural que ela experimentou na juventude e o modo como esse ambiente restringia ou liberava o sonho de quem ela queria ser.

Muitas mães atingiram a maioridade entre a década de 40 e a de 80, uma época de mudanças nas possibilidades das mulheres. A experiência de trabalhar em fábricas e órgãos estratégicos durante a Segunda Guerra Mundial, por exemplo, em empregos antes exclusivamente masculinos, mudou no mundo inteiro a atitude a respeito do potencial da mulher. Mas cada mulher, em seu ambiente familiar, sofreu vários níveis de restrições das suas aspirações, e é por esta razão que você deve estudar atentamente a vida da sua mãe.

Quais eram os valores dela com relação à vida, à família, ao trabalho? Em que eles diferem dos valores prevalentes na sua comunidade hoje? Enquanto você observava o seu envelhecimento, qual era a atitude dela em relação à saúde, à cura, à vida espiritual interior? Em nível do Eu superior da sua mãe, qual era a visão dela para o modo como os seres humanos devem viver? Até que ponto ela conseguia realizar essa visão?

É igualmente importante estudar como você se sentia em criança a respeito dos sonhos da sua mãe. Você achava intuitivamente que ela estava certa ou errada em seus valores e opiniões? Que pensa você sobre isso agora que o perdão já limpou o terreno e você já superou a rebeldia da juventude?

Em minha opinião, o mais importante é a análise intuitiva feita pelo seu Eu superior agora mesmo, no presente, sobre a vida da sua mãe. Se você pudesse mudar os acontecimentos, modificar as decisões dela, de que maneira faria isso? E, finalmente, em que o fato de contemplar a vida de sua mãe, tanto em criança quanto depois, influencia o modo como você decidiu viver a sua vida?

Vendo o Nosso Pai

A análise do nosso pai deve seguir o mesmo processo. Você pode estudar atentamente o modo como o seu pai abordava a vida, especialmente como ele se relacionava com as outras pessoas e como se sentia a respeito das questões espirituais. O que é que se distingue como uma filosofia que funcionava para ele? Quais aptidões você adquiriu com o exemplo dele? Qual era o sonho dele para si próprio e de que maneira ele conseguiu — ou não — alcançá-lo?

Lembre-se que, quer você goste ou não, ele ajudou a instilar em você metade da sua estrutura geral para a realidade, inclusive o modo como você age no mundo, lida com sócios e associados de negócios, negocia e honra seus contratos e ganha dinheiro. Acima de tudo, ele lhe mostrou determinados preconceitos e sabedorias, e você precisa se perguntar por que queria ver esse particular ângulo da vida bem no início da sua existência. Quais eram os temas aos quais você queria de imediato criar sensibilidade?

Como no caso da sua mãe, você deve analisar a sua reação intuitiva ao seu pai. Que parte da vida, do mundo, dos sonhos e do estilo dele você aprovava? Que partes achava erradas? Você considerava, e ainda considera, a vida do seu pai um sucesso ou um fracasso? E como, da sua perspectiva atual, você modificaria as decisões e o caminho geral da vida dele, se pudesse?

Fundindo as Realidades

Uma vez enxergando a vida de nossos pais de uma maneira significativa, com freqüência constatamos que nascemos de duas pessoas muito diferentes, com diferentes visões do mundo, interesses e valores. O que é que significa ser socializado por essas duas pessoas ao mesmo tempo? Sem dúvida, presenciamos alguns conflitos surgidos quando nossos pais tentavam reconciliar suas opiniões divergentes. Como filho deles, temos uma compreensão única dessa reconciliação. Crescemos entre duas pessoas únicas e integramos ambas as maneiras de ser durante o nosso processo de socialização.[5]

O nosso desafio é encontrar uma síntese das perspectivas de nossos pais que aponte para uma existência mais verdadeira. No meu caso, meu pai sempre quis enxergar o mundo de maneira positiva e divertida, o palco da grande aventura. O mundo dele era material, destituído de uma espiritualidade vivenciada, e muitas vezes sua busca ao divertimento levou-o a decisões que davam errado ou saíam pela culatra. Mamãe, por outro lado, sabia que o mundo era profundamente espiritualizado, mas tratava-se de uma espiritualidade piedosa e ascética. Ela sacrificou qualquer idéia de aventura pessoal em troca do trabalho árduo de ajudar as outras pessoas e resolver os problemas do mundo.

Qual foi a conseqüência de ter nascido dessas duas pessoas? A conciliação entre os dois era difícil. Mamãe sempre desejou domesticar papai e colocá-lo num trabalho espiritual; ele sempre se rebelou, intuindo que viver era expandir os horizontes, embora não soubesse muito bem como fazer isso. Olhando de longe para essa situação, percebi a solução óbvia: é possível viver a vida com a profunda espiritualidade da minha mãe, que incluía tornar o mundo melhor, mas a vida pode ser divertida e aventuresca, e nela a missão de cada um seria também o local exato em que ele pudesse encontrar mais inspiração. Compreendi que minha pergunta vital básica era compreender a espiritualidade mais elevada.

Esta síntese da vida dos meus pais e do melhor da maneira de pensar de cada um deles deu-me também o sentido de estar de um modo qualquer realizando os seus objetivos de vida e ajudando-os a evoluir no presente. O mais interessante é que descobri que essa síntese das opiniões deles se adapta perfeitamente ao modo como intuitivamente eu queria viver a minha vida, como se a minha experiência com eles fosse simplesmente destinada a me despertar para isso.

O Progresso das Gerações

Até certo ponto, a nova consciência espiritual está emergindo porque cada vez mais pessoas estão descobrindo uma interpretação pessoal da sua situação no ambiente familiar da infância. No nível intuitivo foi isso que desfechou a grande procura da terapia na década de 70: sabíamos que a nossa consciência se expandiria quando estudássemos o ambiente familiar da nossa infância. Agora estamos alargando ainda mais a nossa busca, sabendo perfeitamente que não foi por acidente que nascemos dos nossos pais e não foi apenas por um mero acaso que a sabedoria e as abordagens à vida ainda imperfeitas tenham sido o estímulo exato de que precisávamos para encontrarmos o nosso próprio ponto de vista e descobrirmos o rumo que desejávamos para a nossa vida.

Neste sentido, como veremos mais adiante, cada geração expande e aperfeiçoa a visão do mundo da geração anterior, na medida em que ela está centralizada na verdade espiritual. É assim que participamos do contínuo fluxo da evolução que tantos pensadores hoje identificaram. Tudo que estamos fazendo é tornar esse processo mais consciente.

Os Amigos, a Educação e o Trabalho Quando Jovem

É claro que a nossa experiência familiar na infância foi apenas o começo. Quando jovens, nós avançávamos céleres em nossa própria direção. Basta pensar, por exemplo, em todas as outras influências durante a infância, começando por nossos irmãos mais jovens. O que é que sentíamos por nossos irmãos e irmãs? Que foi que aprendemos com eles? Por que certas pessoas nos atraem e outras nos repelem? Por que escolhemos certos amigos e ignoramos outros? E por que essas escolhas ocorreram exatamente quando ocorreram?

E os professores que escolhemos como favoritos? Cada um de nós tinha determinados mestres cujas opiniões ou atitudes nos atraíam, e como resultado dávamos muito mais importância à matéria que lecionavam e às suas opiniões, muitas vezes ficando na sala depois da aula para um debate pessoal e um aprendizado mais profundo. Por que esses professores em particular, e por que naquela ocasião em particular? Quais talentos eles nos ajudaram a identificar?

Igualmente importantes são as outras escolhas didáticas que fizemos. Quais eram os nossos primeiros interesses, e quais as fantasias a respeito do que queríamos fazer da nossa vida? Quais eram as matérias e os temas que adorávamos? Em qual campo sabíamos que poderíamos ter sucesso?

Outro importante desenvolvimento no nosso passado foram as primeiras oportunidades de emprego que nos surgiram. Que tipo de trabalho tivemos como estudantes ou, mais tarde, como jovens adultos? De que maneira esses empregos nos influenciaram, esclarecendo aquilo que queríamos fazer?

O propósito dessa revisão é encontrar um sentido sincronístico superior para o rumo que a sua vida tomou. A começar pela idéia de que cada um de nós reconcilia e, até certo ponto, realiza as promessas não-cumpridas de nossos pais, podemos encontrar um esclarecimento ainda maior se identificarmos a área da vida e do conhecimento humano que parecia nos atrair ao longo da nossa vida. Amigos e professores nos ofereceram outras perspectivas e estilos de vida onde podíamos aprender e que podíamos integrar ao nosso eu único.

Para Que Fomos Preparados?

Ao examinarmos esta evolução pessoal poderemos encontrar a maneira mais verdadeira de compreender a nossa infância e a nossa vida, desde o seu início até o momento presente. As peças do quebra-cabeça irão continuar a se encaixar durante toda a sua vida, mas neste momento você pode olhar para trás, para tudo o que lhe aconteceu, e se perguntar: da influência da família na minha infância, passando por todas as curvas e volteios da sincronicidade, os becos sem saídas, os erros e os sucessos — como resultado de tudo isso, o que é que estava sendo preparado em mim para eu dizer ao mundo? Que verdade, única para mim e para a minha experiência, posso agora passar para os outros a respeito da possibilidade de ter uma vida mais plena e espiritual?

É este o sentido que pode emergir de uma Revisão de Vida. Podemos discernir aquilo que prezamos e defendemos, as atitudes que queremos expressar para exprimir a nossa mensagem aos outros. A verdade que temos a transmitir não tem que ser complicada ou grande; às vezes as verdades mais importantes são as triviais e mais simples. O essencial, na minha opinião, é compreendermos qual é a nossa verdade no momento atual e estarmos prontos para expressá-la com coragem sempre que isso for conveniente. Constataremos que aqueles que cruzam o nosso caminho ali estão para ouvir a nossa verdade. Por menor que você pense ser a sua verdade, o impacto dela poderá ser forte e global, dependendo de quem você influencia e como isso servirá para esclarecer a verdade de outras pessoas e o que elas vieram fazer no mundo.

A Evolução da Nossa Verdade

A nossa verdade está sempre evoluindo, não de maneira esporádica ou indefinida, mas com precisão e clareza, ao acompanharmos a sincronicidade em nossa vida. O que geralmente aflora é a questão do que fazer com a nossa verdade, como transmiti-la aos outros. A nossa verdade deveria ser algo que desenvolvemos como uma carreira, ou é mais adequado fazer outra coisa qualquer e deixar que transmitir a nossa verdade se transforme no nosso passatempo?

É de suma importância avaliar a realidade da nossa verdade, comparando-a com as outras e não prestando atenção apenas naquelas com as quais concordamos. De uma conversa franca, emergirá a melhor descrição da realidade. Uma verdade sobre um modo mais pleno de abordar a vida pode se mostrar ineficaz se for expressa de forma complicada demais, ou exposta como uma filosofia para a qual as outras pessoas não possuem uma referência. É importante também saber que a nossa verdade não precisa ser de natureza espiritual. Certamente ela estará relacionada a deslocar a compreensão humana na direção do espiritual, mas aplicada ao campo no qual trabalhamos ou temos influência. Uma verdade pode dizer respeito à resolução; outra pode ser uma nova abordagem na tecnologia da informática que de alguma forma libere a humanidade.

De uma coisa podemos ter certeza: se prestarmos atenção, se mantivermos o enfoque na nossa verdade e continuarmos a manter elevada a nossa energia, descobriremos, para nossa alegria, que as coincidências começaram a se intensificar e a ganhar cada vez mais sentido.

8

A Evolução Consciente

NESTE PONTO TALVEZ devêssemos rever a nova consciência espiritual que estudamos. Começamos com a realidade das coincidências, enfatizando o fato de que elas parecem estar sempre nos empurrando para algum destino especial.

O segundo passo foi superar a inércia da antiga visão do mundo, passando a compreender a psicologia do motivo por que durante tanto tempo descartamos os mistérios da existência. Podemos apreciar as conquistas materiais da humanidade, mas ao mesmo tempo reconhecer que o mundo é muito mais e que está na hora de avançarmos, convictos de que a nossa percepção espiritual que desabrocha representa um despertar de grande importância histórica.

Incorporamos o terceiro passo quando começamos realmente a ter em mente, todos os dias, que vivemos num mundo misterioso, de energia dinâmica, que reage às nossas intenções e teorias.

Isto montou o cenário para o quarto passo, que é aprender a lidar com esse mundo espiritual, especialmente com a realidade da insegurança humana e da competição pela energia. Cada um de nós precisa resolver individualmente esse problema da insegurança, encontrando por si só a experiência transcendental descrita pelos místicos de todas as épocas, que vem a ser o quinto passo. Trata-se de uma experiência que nos dá um vislumbre da consciência superior e abre uma ligação interior que podemos recordar e tornar a visitar, enquanto nos esforçamos para manter elevada a nossa energia e a segurança baseada no nosso interior.

Depois que nos abrimos para a fonte divina de energia, poderemos entrar no sexto passo e experimentar a catarse espiritual de abandonar o nosso drama de controle e descobrir quem somos realmente, alcançando finalmente uma compreensão de uma verdade a respeito do mundo que compete a cada um de nós transmitir. Nesse ponto poderemos viver com a consciência mais plena, dentro da qual estaremos cada vez mais alerta à sincronicidade, e nos dedicaremos mais completamente ao nosso destino.

Expandindo a Nossa Percepção

Estamos agora preparados para o sétimo passo, em que vamos aprender a acompanhar melhor as coincidências.

Vejamos novamente um exemplo de experiência de sincronicidade. Suponhamos que você esteja assistindo a uma conferência a respeito de um assunto do seu interesse; ali sentado, escutando o conferencista, você pensa: "Esta pessoa aborda o assunto por um ângulo fascinante. Preciso aprender mais a respeito do seu ponto de vista." Então na mesma noite você sai para jantar e acaba sentado à mesa ao lado de onde o conferencista está jantando sozinho.

É óbvio que você teve a experiência de uma coincidência significativa; entretanto, na realidade essa sincronicidade começou muito antes dessa noite. Por que, por exemplo, você resolveu ir àquela conferência? Como foi que ouviu falar dela? Talvez tenha visto um anúncio ao folhear o jornal. No entanto, o que foi que levou você a comparecer? Por que essa sincronicidade ocorreu?

Discernindo a Nossa Pergunta Vital

Mesmo depois de percebermos a verdade que estamos aqui para transmitir, a nossa compreensão está sempre em evolução, sempre ficando cada vez mais nítida. Podemos ter descoberto, por exemplo, que o amor e o respeito pelas plantas marcaram o nosso passado e que a verdade que temos a transmitir é a mensagem de que devemos proteger a vida vegetal. No entanto, depois dessa revelação sempre queremos mais detalhes. Devo continuar estudando? Devo abandonar meu emprego e procurar algo mais ligado às plantas?

Se prestarmos atenção na nossa consciência expandida, a pergunta mais relevante à nossa situação de vida dar-se-á a conhecer. Às vezes a descobrimos espontaneamente; outras vezes, a natureza das coincidências ocorrendo à nossa volta ajudará a defini-la. Vamos supor, por exemplo, que a conferência a que você assistiu tratava de salvar as poucas florestas centenárias que restaram na América do Norte, e o orador falou sobre as organizações sem fins lucrativos e as oportunidades de emprego existentes nessa área.

Embora uma dessas coincidências por si só não seja conclusiva, uma série de coincidências apontando para possibilidades de emprego significa que é essa a questão mais premente. No exemplo acima, o fato de que o orador está agora sentado à mesa vizinha no restaurante seria uma dessas sincronicidades de confirmação.

Quando interpretamos as coincidências em nossa vida, precisamos sempre começar procurando a pergunta vital mais premente para nós. Essa pergunta apontará a direção em que a nossa verdade está evoluindo, e tornará mais discernível qualquer outra sincronicidade.

A Intuição

O que acontece depois que identificamos uma pergunta vital? Como foi que você discerniu que deveria ir àquela conferência? O que foi que aconteceu? Estudando de perto, acredito que estamos reconhecendo e começando a usar integralmente uma antiga capacidade humana: a nossa intuição.

Ao longo da História, os seres humanos sempre falaram da experiência dos "palpites" e pressentimentos que muitas vezes orientaram as decisões que tivemos que tomar em nossa vida. Acontece que a visão mecanicista do mundo descartava essas experiências, considerando-as ilusão ou alucinação, ou então reduzia-as a meras deixas[1] sociais. Mesmo diante dessa desaprovação cultural, a maioria de nós continuou a usar esses pressentimentos semiconscientemente; apenas não falávamos muito sobre eles. Só em décadas recentes, o poder da intuição voltou a ser mencionado e usado abertamente no Ocidente.

Acredito que o desafio agora seja trazer à tona esses sentimentos sutis e aprender a distingui-los dos pensamentos normais. Como isso depende de percepção interior, cada um de nós tem que chegar lá por si só. Mas para muitos o padrão geral do modo como a intuição funciona já pode estar atingindo um consenso.

A intuição é uma imagem de um acontecimento futuro, uma precognição que se tem demonstrado cientificamente ser uma capacidade humana.[2] Ela pode estar relacionada a nós ou a outras pessoas. Quase sempre essa imagem é de natureza positiva, de crescimento. Se, por outro lado, esses pensamentos forem negativos — de um acidente iminente ou um lugar que deve ser evitado, por exemplo — então temos que decidir se estamos apenas tendo pensamentos de medo que nos vêm de um drama de controle repetido ou se a imagem negativa é um verdadeiro aviso intuitivo.

Também neste caso fazer essa distinção é algo que cada um de nós deve conseguir sozinho, mas acho que podemos perceber que as imagens de medo geralmente estão ligadas a temores generalizados, e não a acontecimentos específicos. No caso do nosso exemplo, poderíamos saber que sempre tivemos medo de ir a uma conferência se, digamos, tivéssemos que ir sozinhos. Esse tipo de medo que sempre recorre pode ser reconhecido como um temor generalizado. Mas se espontaneamente sentimos medo em relação a uma determinada conferência sem jamais termos tido tal medo antes, então essa imagem pode ser um verdadeiro aviso intuitivo, e devemos agir segundo essa crença.

Devemos também diferenciar uma intuição de um devaneio disfuncional. E quando imaginamos um *replay* de uma conversa anterior, desejando que tivéssemos dado a resposta merecida a uma pessoa que nos enfureceu ou nos perturbou, estamos simplesmente fantasiando um drama de controle. Esse tipo de imagem só é útil se a mensagem tiver o sentido de abandonar esse tipo de competição.[3]

A maioria das intuições verdadeiras envolve a imagem de alguma ação futura de nossa parte, que daria à nossa vida uma nova e vantajosa direção, e elas sempre trazem em torno de si uma carga de inspiração.

O Processo da Sincronicidade

Agora temos uma visão mais ampla da sincronicidade. Ela começa com a pergunta vital, consciente ou não, e segue em frente. No caso do nosso exemplo, você distinguiu que a sua pergunta é se deveria procurar outro emprego mais ligado às plantas.

Nesse ponto a intuição entra em ação. Se prestarmos muita atenção aos nossos pensamentos, receberemos uma intuição sobre o que fazer ou aonde ir. Pode ser algo vago e confuso, mas será uma precognição verdadeira de um acontecimento em potencial no futuro. No nosso exemplo, você poderia receber uma imagem de estar numa conferência. Ou talvez fosse uma imagem mais geral, de você recebendo informações a respeito de um negócio ligado a plantas ou a uma oportunidade de trabalho.

Depois disso, quando você abrisse o jornal e lesse sobre uma conferência sobre plantas, uma lâmpada acenderia na sua mente. Você reconheceria de imediato que estava tendo um episódio de sincronicidade, transbordante de inspiração. Quando você chegasse ao local e escutasse a conferência, teria ainda mais certeza. E encontrar o orador na mesa vizinha, na mesma noite, seria quase inacreditável.

Em suma: podemos ver que a maior parte das sincronicidades ocorre da seguinte maneira: começamos com uma vaga noção da verdade que estamos aqui para transmitir, uma verdade que está ficando cada vez mais clara e se manifesta, em primeiro lugar, na forma de uma pergunta básica, e depois na questão mais urgente da nossa situação atual. Em seguida, vem uma intuição, uma imagem mental de alguma coisa acontecendo, de nós mesmos tomando algum tipo de atitude para perseguir a resposta a essa pergunta. Se prestarmos atenção, ocorrerá uma oportunidade real combinando com a nossa intuição, trazendo-nos respostas e dando-nos a sensação de perfeita sincronicidade.

É claro que essas respostas, embora resolvendo a nossa primeira pergunta, irão sempre nos levar na direção de uma nova situação de vida, e de mais perguntas. E assim continua o processo: pergunta, intuição, resposta sincronística, nova pergunta.

Os Sonhos

Como vimos anteriormente, os sonhos podem desempenhar um papel importante nesse processo, pois são uma forma obscura de intuição. Embora na maioria dos casos as imagens do sonho mostrem personagens estranhos e enredos improváveis, quase sempre os seus elementos podem trazer um vislumbre a respeito da nossa situação atual. No Capítulo 2 aprendemos a analisar o enredo de um sonho, superpondo-o em seguida a uma história mais abrangente que esteja acontecendo em nossa vida. Sempre poderemos ver alguma relação, atual ou futura.[4]

Se o sonho é de luta, por exemplo, podemos averiguar se de alguma forma estamos combatendo algum processo na nossa vida real. Se assim for, o sonho pode estar apontando um caminho melhor, que ainda não nos ocorreu. Esse novo curso de ação, uma vez adotado, pode levar a episódios de sincronicidade que mudarão a nossa vida, assim como faz a intuição.

A chave para interpretar os sonhos dessa maneira é ter sempre presente na mente a nossa verdade básica e a nossa pergunta atual. Isso colocará ao nosso alcance informações adicionais com as quais procuraremos um sentido. Precisamos nos perguntar: como é que a história dos nossos sonhos se relaciona às questões que enfrentamos na vida?

A Luminosidade

Outra maneira pela qual podemos fortalecer a intuição é através da luminosidade, ou seja, o fenômeno de encontrar um certo local ou objeto que parece destacar-se, atraindo a nossa atenção. O lugar ou objeto parece ter mais presença do que as outras coisas que lhe estão próximas.[5]

No caso de uma paisagem, as cores das árvores, das pedras e da terra parecem mais radiantes. Essa experiência se relaciona ao momento transcendental em que tudo à nossa volta fica de repente mais vivo, mais cheio de presença e de ser, e parece tornar-se ligado a nós como o nosso próprio corpo, produzindo uma sensação de unidade — ressalvando-se que, no caso da luminosidade, o fenômeno é isolado numa área específica, como se para nos mostrar uma ligação especial que temos com o objeto ou o cenário em questão.

Muitas vezes tal experiência de luminosidade ocorre quando, durante uma viagem, estamos diante de uma decisão sobre a direção a tomar. É claro que isso desmente o paradigma materialista — por ser nosso hábito tomar decisões sobre o nosso itinerário com base em cálculos de tempo, mapas e outras considerações lógicas. E certamente no passado esses métodos se mostraram eficazes para nos levar a um local específico.

Mas à medida que ultrapassamos essa maneira lógica de dirigir a nossa vida, aprendendo a usar a intuição no nosso processo de tomada de decisões, podemos ser mais eficientes a longo prazo. A intuição pode nos orientar para tomarmos o caminho geograficamente mais longo ou mais difícil, mas durante essa rota poderemos receber informações úteis que levariam muito mais tempo para chegar até nós se tivéssemos orientado o nosso trajeto pelo antigo método.

Muitas vezes, tudo que sabemos é que certo caminho parece vagamente mais atraente. Uma boa maneira de investigar esse tipo de sensação é examinar os outros caminhos e comparar a sua luminosidade à do caminho que parece estar nos chamando. Sentimos a mesma coisa? A luz parece diferente? Cada pessoa deve legitimar para si mesma essas percepções, mas se o caminho parece ainda mais atraente, tome-o.

Outra maneira pela qual a luminosidade pode ajudar a dirigir o nosso percurso é quando estamos explorando um local sagrado em busca das áreas de maior energia. Como já vimos, os lugares sagrados muitas vezes facilitam as experiências místicas ou transcendentais durante as quais abrimos canais de energia divina em nosso interior. Muitas vezes precisamos descobrir intuitivamente o melhor lugar. Às vezes temos pouco em que nos basear, além de boatos ou comentários vagos que ouvimos em algum lugar. A chave do sucesso da nossa busca pode muitas vezes ser a luminosidade.

Isso se aplica especialmente se estamos numa área selvagem e vasta. Em tais ambientes, se olharmos em volta, sensíveis às coisas que ressaltam para nós, muitas vezes perceberemos o pico de uma montanha à distância, um grupo de árvores altas ou áreas com água que parecem especialmente brilhantes e nos atraem interiormente. Uma vez chegando até lá, podemos usar o mesmo processo para encontrar um local ainda mais específico, que pareça destacar-se e dê uma sensação convidativa e confortável. É esse o lugar para meditarmos.

Escolhendo o Nosso Lugar num Local Público

A intuição e a luminosidade também funcionam como ajuda para escolhermos um assento num restaurante ou numa reunião, por exemplo — especialmente nos casos em que estaremos interagindo com outras pessoas. Quando entramos nesse espaço, se prestarmos bastante atenção, veremos que determinado lugar ressalta e se torna luminoso. Pode ser que tenhamos que conversar com o *maître*, que em geral tem idéias próprias sobre onde devemos sentar. Mas vale a pena, pois o lugar correto nos dará a sensação de conforto e entusiasmo.

Escolher dessa maneira o nosso lugar levará no mínimo a uma refeição agradável, dada à configuração de energia do aposento e a distribuição das pessoas; na melhor das hipóteses, poderia levar a um importante encontro sincronístico. Muitas vezes esse processo levou-me a uma conversa sincronística. Quando estava escrevendo este capítulo, tive a experiência exatamente desse tipo de sincronicidade num restaurante perto da minha casa.

Nesse mesmo dia, mais cedo, conheci um homem que praticava a sua corrida diária perto da minha casa. Conversamos brevemente e ele me falou de um protótipo de ionizador com filtro de ar de que ouvira falar. Eu estava com pressa, de modo que não lhe pedi detalhes adicionais, porém mais tarde lamentei não ter lhe pedido mais informações, pois achei que o tipo de ionizador que ele descrevera poderia ajudar-me no trabalho que eu estava fazendo. Como não sabia a maneira de entrar em contato com o corredor, esqueci o assunto e fui tomar café na cidade. Quando entrei no Irene's Cafe olhei em volta e imediatamente fui atraído para uma mesa perto de uma janela à direita. A garçonete queria que eu me sentasse em outra área, mas a luz virtualmente cintilava em volta daquela determinada mesa.

Na mesa ao lado havia um grupo conversando, mas não prestei atenção nele; meu enfoque era a mesa que eu escolhera. Com um sorriso a garçonete permitiu que eu a ocupasse; acomodei-me e peguei o cardápio. Continuava sem prestar atenção nas pessoas da mesa ao lado. Então ouvi uma voz que julguei reconhecer, e olhei de relance para a minha direita. Tomando café com alguns amigos, ali estava o corredor com quem eu conversara sobre o ionizador!

Não preciso dizer que tivemos uma conversa longa e profunda, que foi muito importante para o meu trabalho.

Livros, Revistas e a Mídia

A luminosidade mostra também informações úteis sob a forma de livros, revistas e programas de televisão. Ouvem-se muitas histórias, por exemplo, sobre livros que aparecem misteriosamente na vida das pessoas. Shirley MacLaine narra uma versão comum dessa experiência em *Out on a Limb*; ela estava na livraria Bodhi Tree em Los Angeles quando um livro de que precisava literalmente despencou de uma estante e foi cair no colo dela.[6]

Quase igualmente comum é um livro de repente parecer luminoso e atraente. Aliás, creio que qualquer pessoa que esteja expandindo sua consciência espiritual terá essa experiência de vez em quando. Podemos entrar numa livraria apenas para dar uma olhada, e determinado livro atrai nossa atenção, às vezes de longe, do outro lado do recinto. De um modo qualquer ele parece mais brilhante, mais distinto. Às vezes conseguimos ler o título e o nome do autor quando tal fato pareceria impossível a essa distância.[7]

Naturalmente essa experiência não se limita a livros; revistas e certos programas de televisão também podem parecer luminosos. Se ficarmos atentos quando relanceamos o olhar por uma prateleira de revistas, muitas vezes perceberemos que algumas delas se destacam. Uma observação mais próxima vai descobrir um artigo ou um editorial contendo informações sincronísticas.

Podemos ver televisão da mesma maneira. Com a proliferação dos canais a cabo e por satélite, muitas vezes nos encontramos percorrendo todos eles, sem saber ao certo o que estamos procurando. No entanto, se mantivermos em mente o fenômeno da luminosidade, quase sempre alguma coisa irá atrair o nosso olhar e em seguida o nosso interesse.

Observando onde o Nosso Olhar Recai

Algumas vezes perceberemos que nosso olhar recai espontaneamente numa pessoa, num lugar ou objeto. Se escutarmos com atenção, poderemos detectar comentários sobre esses fenômenos em discussões sobre a espiritualidade. Amigos comentarão que seus olhos recaíram com espontaneidade sobre uma trilha na floresta ou numa determinada revista. Isso é um pouco diferente da luminosidade.

Nesse caso os nossos olhos e a nossa mente parecem enfocar espontaneamente determinado lugar, enquanto estamos pensando em outra coisa.

Um exemplo comum dessa experiência é virar a cabeça espontaneamente e dar com alguém olhando para nós. Em qualquer desses casos podemos nos perguntar depois: por que ergui os olhos naquele exato momento? Ou: por que eu estava olhando para aquele prédio, ou aquela praça?

Embora essas mensagens do nosso corpo possam a princípio parecer casuais, às vezes teremos a intuição de estudá-las mais a fundo. Muitas vezes, alguns poucos minutos de atitude atenta levarão a uma nova aventura ou a um encontro sincronístico.

A Importância de Permanecer Positivo

É impossível exagerar a importância de manter uma perspectiva positiva enquanto as nossas experiências de sincronicidade se intensificam. Uma vez abertos à energia divina interior, tendo encontrado uma verdade que nos inspire e tendo em mente as nossas perguntas, o fluxo de sincronicidade acelera e se torna mais fácil de ser interpretado. Mas a qualquer momento podemos mudar para uma interpretação negativa, perdendo assim a nossa energia.

Como já mencionei, enquanto escrevia *A Profecia Celestina* encontrei-me muitas vezes no que só pode ser chamado de beco sem saída. Eu vinha num fluxo de sincronicidade fértil e significativo, e então — bum! — alguma coisa acontecia para sugerir que eu estava seguindo o caminho errado. Nessas ocasiões eu me sentia tentado a abandonar inteiramente o projeto: não conseguia entender por que aquilo que eu supunha estar fazendo tinha se desmantelado.

Esses becos sem saída continuaram a ocorrer até que percebi que estava tirando conclusões negativas simplesmente porque não queria que o projeto caminhasse mais devagar. Cada um de nós tem que entender por si só que no nível elevado de consciência não existem acontecimentos negativos. A vida, naturalmente, pode ser trágica às vezes, e os seres humanos com freqüência fazem maldades, às vezes muito cruéis — mas em nível de crescimento e sentido pessoal, como Victor Frankl discutiu em seu clássico *Man's Search for Meaning*,[8] a negatividade representa apenas um desafio e, na pior das situações, sempre há a oportunidade de crescer. Cada crise, cada beco sem saída na nossa evolução é apenas uma mensagem, uma oportunidade para tomarmos outra direção. A princípio o nosso ego pode não gostar dessa nova direção, mas o nosso Eu superior pode descobrir um novo plano implícito no desafio.

Não é possível exagerar a importância de procurar o sentido positivo dos acontecimentos negativos. Muitas vezes vi indivíduos iniciarem o caminho sincronístico, iniciando com sucesso sua jornada em direção à autoconsciência e ao crescimento, para encontrarem um beco sem saída que eles interpretaram negativamente, desistindo de todo o processo.

Isso acontece quando imaginamos que podemos atingir rapidamente as nossas imagens e os nossos objetivos de longo prazo. Quando não alcançamos esses objetivos dentro do prazo por nós estabelecido, imaginamos o negativo e nos culpamos, ou culpamos as outras pessoas, ou concluímos que o processo inteiro é inviável. Na verdade, um beco sem saída costuma significar que ainda estamos carentes de energia ou não esclarecemos totalmente nosso drama de controle. A sincronicidade na nossa vida funciona para nos ajudar a retornar às questões desse esclarecimento pessoal e à necessidade de descobrir uma postura de amor e de segurança interior. Somente recuperando esse espaço transcendental, poderemos nos livrar das necessidades do ego e passar a fazer uma leitura objetiva das coincidências.

Evoluindo Estrategicamente

Devemos ter em mente que a nova consciência espiritual que estamos estudando é um equilíbrio entre o nosso eu racional e o nosso eu intuitivo. Não estamos descartando os nossos poderes de discernimento racional, conseguidos com esforço; estamos, isto sim, colocando-os em equilíbrio com o nosso Eu superior. Desse modo, estamos penetrando num universo que fornece uma constante corrente de pequenos milagres para orientar o nosso caminho.

O essencial é permanecermos abertos ao fluxo sincronístico sem tirar conclusões apressadas. Todo acontecimento misterioso em nossa vida é uma mensagem; se mantivermos alta a energia e nos lembrarmos da verdade que estamos aqui para transmitir, o processo da sincronicidade continuará — talvez não tão rápido quanto gostaríamos, mas continuará. Das nossas perguntas atuais, surgirão imagens intuitivas do que podemos fazer; quando começarmos a agir de acordo com elas, explorando o nosso caminho, o fluxo sempre avançará.

Nosso total compromisso com o processo sincronístico nos leva de imediato ao passo seguinte na vivência da consciência espiritual. Constataremos que quase todos os episódios de sincronicidade nos chegam através da verdade de outros seres humanos. Quando aprendermos a interagir com essa constatação em mente, poderemos todos elevar a um nível mais alto o processo da evolução espiritual.

9

Vivenciando a Nova Ética Interpessoal

Como Marshall McLuhan mostrou em seu importante livro *The Medium Is the Message*,[1] um dos efeitos da explosão da mídia de massa é a redução psicológica do tamanho da Terra. Por causa da TV, do rádio e da informática, o mundo agora parece menor do que jamais foi na História humana: com um simples toque de botão, podemos testemunhar os acontecimentos enquanto eles ocorrem, mesmo do outro lado do mundo.

No nível local, o efeito desse diálogo global é tornar muito mais correta a nossa interpretação de palavras e frases, mesmo em outros idiomas. À medida que o nosso mundo fica menor, nós nos tornamos homogêneos e aprofundamos nossa compreensão uns dos outros.

Há pouco mais de uma vida humana — meros 120 anos — o duelo era legal em algumas regiões dos Estados Unidos; as ofensas à honra costumavam resultar de um comentário inadvertido ou do uso de uma expressão que em outra parte do país seria perfeitamente aceitável, mas ali era motivo para essa forma de assassinato.

Equívocos desse tipo estão ficando cada vez mais raros, porque de uma região para outra, de uma subcultura para outra, nós nos entendemos melhor do que nunca. Os críticos podem lamentar a erosão provocada pela TV em muitas das nossas diferenças regionais

— e a nossa perda de diversidade é realmente um problema —, mas a mídia moderna também nos mostrou como somos, e assim nos aproximou uns dos outros. À medida que unificamos o significado das palavras que usamos em toda a extensão dos Estados Unidos, e até certo ponto no mundo inteiro, penetramos na mente dos outros como nunca antes, aprofundando o nosso diálogo e aumentando a freqüência da sincronicidade.

A Espiritualidade da Conversa Cotidiana

A maioria das mensagens sincronísticas vem das outras pessoas. Um popular provérbio espiritual afirma que quando o discípulo está pronto, o mestre aparece; uma expressão mais moderna dessa idéia poderia ser: se estivermos abertos e vigilantes, alguém surgirá com uma verdade que precisávamos ouvir naquele momento. A chave para recebermos a informação é nunca deixarmos de explorar esses encontros — naturalmente tomando precauções razoáveis para a nossa segurança.

Um encontro por coincidência pode acontecer a qualquer instante, mas em geral só acontecerá se estivermos dispostos a tomar a iniciativa. Por exemplo: no capítulo anterior postulamos que você tinha intuído a idéia de ir a uma conferência sobre plantas e assim obteve informações a respeito de um emprego nesse campo. Depois da conferência, você, sincronisticamente, encontrou o orador durante o jantar.

E daí? Quantas vezes ocorre um encontro por coincidência e um dos envolvidos — ou ambos — deixa de tirar partido disso? Demasiadas vezes. Mas acredito que a nossa capacidade ampliada de compreendermos uns aos outros está ajudando a reverter a situação. À medida que cada vez mais pessoas percebem a verdade do processo evolutivo, cada vez mais daremos prioridade a partilhar uns com os outros a nossa verdade pessoal.

Vamos imaginar novamente que você esteja sentado perto do orador no restaurante. Já que ocorreu a sincronicidade do encontro, o próximo passo lógico é expressar — do modo mais honesto e revelador, porém não ameaçador — o que está acontecendo. Você pode ir diretamente ao assunto, dizendo: "Ouvi a sua conferência hoje e achei-a muito interessante, porque estou pensando em trabalhar ajudando a salvar as plantas em extinção."

Em resposta, o orador poderia dizer alguma coisa que lhe daria uma nova deixa, tal como: "Acompanho as oportunidades nesse campo através de uma publicação especializada, chamada *Botanical Update.*" Sem dúvida, depois dessa conversa, você obteria um exemplar da publicação, que, provavelmente, lhe traria mais informações.

A Importância de exaltar as Outras Pessoas

E se, depois de termos um encontro sincronístico com outra pessoa, nenhuma mensagem vier à tona — ou, mais provavelmente, se as mensagens forem bloqueadas pelo medo ou por qualquer espécie de drama de controle? Primeiramente, podemos nos interiorizar e tentar aumentar o nosso próprio nível de energia, enfocando o amor, a leveza e a ligação com o meio ambiente.

A partir desse estado de energia expandida, podemos olhar com novos olhos para a pessoa com quem estamos conversando. Como discutimos num capítulo anterior, quando enfrentamos um drama de controle precisamos, em primeiro lugar, enviar energia de amor para a pessoa, enfocando-a por completo. O que estamos fazendo na realidade é enviar energia espiritual para o Eu superior da pessoa; isso lhe permitirá relaxar as teorias rígidas definidas pelo seu drama de controle.

A tradição mística nos diz que isso é feito de um modo especial.[2] Um rosto com suas feições, seus contornos e suas sombras é bem parecido com um borrão do tipo usado em testes psicológicos; de um modo semelhante podemos discernir muitas expressões num rosto, dependendo da nossa própria atitude. Se em nosso drama de controle esperamos que todas as pessoas que encontramos sejam amedrontadoras, ou tolas, ou negligentes, então é essa a aparência que vamos encontrar. Aliás, em geral, a pessoa com quem estamos conversando começa a se sentir dessa maneira, talvez passando até a falar de maneira ameaçadora, tola ou negligente, para comentar mais tarde que a conversa parecia tê-la colocado nesse papel.

Lembre-se: o universo reage às nossas intenções. Os nossos pensamentos e as nossas crenças irradiam-se para o mundo como orações, e o ambiente tenta nos dar aquilo que aparentamos desejar. O essencial é mantermos elevada a nossa energia e usarmos o poder das nossas intenções de maneira positiva.

Mas como podemos conseguir isso? Como aplicamos esse novo foco a outro ser humano? Quando olhamos para o rosto de outra pessoa agora, em que nos concentramos?

A resposta, naturalmente, é que devemos enfocar o todo do rosto da outra pessoa com uma atitude aberta. Se olharmos atentamente enquanto a outra pessoa fala, poderemos começar a ver o Eu Superior dessa pessoa, aquela expressão que reflete a consciência e o conhecimento do indivíduo. Essa idéia é expressa em várias tradições religiosas como ver a glória no rosto do outro, ou o Cristo, ou o gênio. Seja como for que a expressemos, se começarmos a nos dirigir a esse Eu superior, esse gênio, ao mesmo tempo projetando amor, a pessoa começará a se aproximar desse nível de consciência enquanto estamos dialogando com ela, e talvez esteja até tendo essa experiência pela primeira vez.

É este o processo de exaltar as outras pessoas, ao qual agora podemos nos dedicar conscientemente. Acredito que cada vez mais pessoas estejam usando este processo como uma postura ética, mais elevada, para com os outros. Há milhares de anos sabemos que é importante amarmos uns aos outros, e que o resultado pode ser uma transformação; agora estamos aprendendo e incorporando os detalhes espirituais de como enviar esse amor.

O importante é compreendermos que amar os outros não é apenas uma questão de ser bonzinho; existe um método psicológico preciso para amarmos os outros, que precisa ser abordado com um enfoque e uma intenção específicos. No entanto, essa ética é inteiramente egoísta, porque, quando a praticamos, sempre recebemos mais do que damos. Quando tentamos exaltar outra pessoa, ela se aproxima do conhecimento e do sentido de propósito de seu Eu superior, e assim fazendo ela geralmente menciona um assunto — seja um projeto, uma solução, um plano — que nos fornece uma mensagem sincronística, talvez a mesma que estávamos esperando.

Outro benefício pessoal é o incremento do nosso próprio nível de energia. Quando mandamos a outra pessoa a energia do amor, nós nos tornamos o canal para uma energia que tem origem na fonte divina e se move através de nós, como uma xícara que se enche e transborda para as outras. Muitas vezes uma das maneiras mais rápidas de recuperar nossa ligação interior com o divino, quando nos sentimos alijados, é exaltar outra pessoa.

Exaltando Outras Pessoas em Grupo

O processo de exaltar outras pessoas eleva-se a novas alturas quando praticado em grupo. Imagine o que acontece quando os membros de um grupo estão interagindo dessa maneira intencionalmente; cada pessoa enfoca a melhor parte, o gênio, a luz, no rosto de todos os outros, e a reciprocidade é total e simultânea.

Mais uma vez, implementar esse processo é uma questão de intenção, começando assim que o grupo inicia a sua interação. Quando a primeira pessoa começa a falar, todas as outras procuram e encontram a expressão do Eu superior dessa pessoa e começam a enfocar isso, enviando amor e energia. O resultado é que ela começa a sentir um fluxo de energia vindo das outras pessoas do grupo, e atinge um sentido maior de bem-estar e clareza. Isso leva a um "efeito estufa" dentro do grupo, já que o orador que está recebendo energia aumenta a sua própria energia e envia o acúmulo de volta aos outros, que experimentam uma energia ainda maior para enviar de volta. Desse modo, a energia do grupo compõe um ciclo de amplitude cada vez maior.

Esse aumento sistemático da energia de todas as pessoas do grupo é o potencial ampliado de cada grupo humano. É o fenômeno a que se refere a passagem bíblica "onde dois ou mais estiverem reunidos em meu nome, ali estarei no meio deles". Ligar-se e ampliar a energia divina é o propósito verdadeiro de reunir-se em grupos. Seja o grupo parte de uma igreja ou de uma equipe técnica de trabalho, esse processo pode aumentar incrivelmente o poder criativo dos indivíduos nele envolvidos.

O Processo de Grupo Ideal

Vamos imaginar que todos num grupo ideal compreendam os níveis de energia potenciais que podem ser atingidos; uma vez reunidos, cada membro cuidará de permanecer equilibrado e ligado interiormente à energia e ao amor divinos. Além disso, cada pessoa terá consciência da sua verdade vital e das perguntas correntes em sua vida, vivendo num estado de pronta antecipação e esperando a sincronicidade.

No momento em que alguém comece a falar, os membros do grupo vão enfocar intencionalmente a expressão do Eu superior que elas possam detectar no rosto de quem fala. Desse modo, eles sabem que estão intencionalmente enviando amor e energia para exaltar essa pessoa. Quando o primeiro orador termina, a energia migrará naturalmente para outra pessoa; quando essa migração ocorrer, a maioria dos membros do grupo sentirá uma depressão na energia. Mas a pessoa que deve falar em seguida sentirá uma onda de inspiração como uma idéia, uma verdade, que entrará em sua mente.

É claro que cada um de nós teve essa experiência muitas vezes. De repente temos algo a dizer, e se o grupo está afinado, nos dará espaço para fazermos a nossa contribuição. No nosso grupo ideal, os outros membros sentirão quem é que deve falar a seguir e simultaneamente enfocarão essa pessoa.

Os Problemas Mais Comuns nos Grupos

Essa transição de um orador para outro pode ser complicada, porque mais de uma pessoa pode querer falar ao mesmo tempo. Quando isso acontece, acredito que um dos oradores esteja defasado, talvez não escutando com atenção e tentando interpor uma idéia que lhe ocorreu mais cedo. Quando uma idéia extemporânea é forçada numa discussão, o grupo experimenta uma leve queda de energia e sente que o novo orador mudou de assunto inadequadamente. Sempre há um orador mais adequado, alguém que tem a idéia perfeita que expandirá o assunto em discussão, imprimindo-lhe uma direção esclarecedora.

O Exibicionismo

Outros problemas podem também afetar o funcionamento de um grupo. O exibicionismo acontece quando o membro que está falando ocupa a tribuna por tempo demais. Isso geralmente ocorre assim: o grupo está fluindo muito bem; cada membro tem a intenção de enviar o máximo de energia possível para todos os outros. Então, quando de modo natural a energia começa a fluir para outra pessoa, o orador não percebe e continua com as suas idéias, pensando em outras coisas para dizer apesar da decrescente atenção do grupo.

Os outros membros percebem que o grupo está agora fora do seu melhor fluxo e, em geral, ficam inquietos. Em casos extremos, o grupo poderia degenerar numa batalha de egos, a confusão levando vários membros a disputar a tribuna, cada um pensando ter algo melhor a dizer.

O exibicionismo reflete em geral um problema de insegurança interior. Enquanto está falando, a pessoa se sente naturalmente plena de energia e enaltecida; se ela não consegue atingir esse estado por si só, vai ter dificuldade em ceder o palco a outro, pois a energia que recebe do grupo é muito agradável. Assim, ela insiste, esperando conseguir atrair a atenção e a energia dos outros pelo maior tempo possível. Esse tipo de insegurança é comum, e significa apenas que a pessoa deveria voltar a se esforçar para fortalecer sua energia interior e praticar a doação de energia em lugar de procurar recebê-la.

A chave para superar o problema do exibicionismo é a identificação imediata: se todas as pessoas reconhecerem o que está acontecendo, o problema pode ser sanado com perturbação mínima para o grupo. A solução ideal, naturalmente, é o orador perceber o que está acontecendo e calar-se. Se isso não acontecer, a pessoa que sentiu a energia passar para si pode intervir diplomaticamente, dizendo algo como: "Podemos voltar para o assunto que estávamos discutindo? Eu gostaria de fazer um comentário." Se o orador não permitir, os outros membros podem também intervir, levando finalmente a energia para a pessoa correta.

O Bloqueio

Outro problema que muitas vezes desestabiliza um grupo é o bloqueio, que é também resultado da insegurança de alguém que tenta obter energia e atenção assumindo sempre a posição contrária. Há muitas razões para essa insegurança surgir num grupo, mas com freqüência o agente catalisador é um comentário feito por um dos membros do grupo a respeito de determinado tópico, ou a reação pode ser provocada por algum aspecto da personalidade de outro membro do grupo.[3]

Pode-se identificar um bloqueio quando o grupo está avançando e um membro interrompe para discordar do que o orador está dizendo; às vezes os oradores discordam naturalmente, como resultado do verdadeiro fluxo de energia, e nesse caso as outras pessoas passarão sua atenção para o argumento do novo orador. No entanto, o bloqueio ocorre quando um membro fala, embora a energia não tenha passado para ele, e a sensação geral do grupo é que o bloqueador causou uma interrupção.

Outro sinal desse tipo de problema é quando outros membros do grupo exprimem seu apoio ao primeiro orador, mas o bloqueador continua a argumentar, muitas vezes repetindo os seus argumentos. Em geral a pessoa que bloqueia uma vez vai continuar a interromper do mesmo modo, criando um padrão regular de pedir atenção. O bloqueio é um problema muito sério num grupo, pois pode impedir todo o movimento evolutivo.

Como o exibicionista, o bloqueador deve ser enfrentado com diplomacia. Se o bloqueio é geral, qualquer pessoa pode intervir, mas se enfoca determinada pessoa, essa pessoa pode estar em melhor posição para tratar com o bloqueador, pelo menos no princípio.

Como no caso de lidar com um drama de controle, a situação tem que ser trazida à luz. Eu recomendaria que o confronto fosse feito em particular, fora do grupo. Se isso não funcionar, só então o problema deve ser discutido publicamente. Se os membros têm suficiente elevação de consciência, o assunto pode ser tratado de maneira eficiente, sem acusações ou reações descabidas.

A Inércia

Outro problema pode ocorrer num grupo quando a energia desse grupo passa para determinado membro que deixa de usar a sua oportunidade de se exprimir. Mais uma vez, isso produz uma sensação de queda de energia, uma calmaria na corrente. O grupo pode estar engajado numa conversa perfeita, durando já bastante tempo, quando, como sempre, a energia do orador começa a diminuir e a passar para outra pessoa — só que essa outra pessoa fica em silêncio. Os membros do grupo se entreolham, confusos, ou talvez alguém perceba quem era a pessoa que devia estar falando e olhe para ela, mas ainda assim nada acontece — a pessoa continua calada.

A maioria de nós, provavelmente, sabe qual é a sensação da inércia. Estamos participando de um grupo, escutando atentamente, quando sentimos uma onda de energia ao recebermos uma idéia, uma visão ou um esclarecimento para o assunto em pauta. Há uma pausa enquanto a energia passa para nós, mas nós hesitamos em vez de nos expressarmos.

Quando isso acontece, impede que o grupo seja totalmente eficiente. A contribuição de cada membro no momento certo é essencial para o fluxo geral da verdade. Muitas vezes o desfecho, em termos de produtividade, pode ficar severamente limitado por apenas uma pessoa que cede à inércia. A base do problema, naturalmente, está na autoconfiança e no nível de confiança dela em relação aos outros membros do grupo. Às vezes a inércia pode ser prevenida ou mantida no mínimo, se for tomado o cuidado de que todos os membros do grupo se sintam confortáveis uns com os outros, ou simplesmente diminuindo o ritmo do processo grupal.

Quando muitos membros são inspirados, a discussão acelera depressa demais e não há tempo suficiente para cada orador. Se esse ritmo é freado propositadamente, os membros mais tímidos, que não estão acostumados ao processo grupal, terão tempo para agir.

Todos nós já fomos em alguma ocasião exibicionistas, bloqueadores ou inertes, mas estando cônscios desses obstáculos na dinâmica do grupo todos nós podemos aprender a evitar esses problemas. Pode-se superar qualquer falha na dinâmica do grupo se os membros permanecerem vigilantes e discutirem abertamente qualquer dificuldade que perceberem.

Os Grupos de Apoio

Muitas pessoas já estão se unindo em grupos de apoio organizados.[4] Existem muitos benefícios espirituais nesse tipo de processo grupal. Os grupos de apoio vão desde aqueles orientados para problemas de dependência (enfocando problemas tais como o alcoolismo, as drogas, a co-dependência, a compulsão de comer ou de comprar) até grupos envolvidos com determinadas questões da vida (tais como: criar filhos, morar sozinho, lidar com a morte, a separação, o divórcio, o desemprego).

Há um tipo mais geral de grupos de apoio que persegue questões mais positivas, que levam à ação. Esse tipo de grupo enfoca a expansão da energia criativa e intuitiva, e a experiência da sincronicidade. A meta desses grupos é manter elevado o nível de energia de cada membro, para que todos possam ajudar-se mutuamente a continuar crescendo, ampliando em conjunto a sua energia e percepção.

A Cura e A Saúde

Muitos desses grupos dão atenção especial às necessidades de saúde de cada membro. Podem até colocar cada membro no centro do grupo e projetar nele energia e intenção de cura, visualizando os átomos de seu corpo vibrando em perfeita ordem. Como tem sido demonstrado cientificamente, esse tipo de intenção grupal focalizada pode funcionar com um poder de oração que sem dúvida produz um efeito.

Se você já faz parte de um grupo de apoio, recomendo que este procedimento seja incorporado à discussão em base regular. Simplesmente coloque o grupo em círculo e alterne as pessoas que ficarão dentro do círculo recebendo o fluxo de intenção do grupo. Naturalmente esta prática não substitui a consulta a um profissional da saúde quando necessário, mas sabemos que este processo funciona para sustentar a energia da saúde.

Como Encontrar um Grupo

Se você não pertence a um grupo, pode ser que chegue uma ocasião em sua vida em que sua pergunta no momento seja: "Como posso encontrar um grupo?". Nessa ocasião mantenha-se alerta, pois a sincronicidade deverá colocar o grupo certo em seu caminho. Lembre-se, porém, de que o esforço para manter elevado o seu nível de energia ajudará a otimizar o funcionamento do grupo, pois, se estivermos nos sentindo inseguros ao entrarmos para um grupo, vamos considerá-lo nossa principal fonte de energia. Quando isso acontece, ficamos mais interessados em receber do que em doar, e os outros membros sentirão essa dependência como um sorvedouro da energia deles.

Tomar consciência do nosso drama de controle e descobrir a nossa verdade são passos que podem ser apressados dentro de um contexto grupal, desde que o grupo inteiro esteja devotado a isso. O diálogo em grupo é benéfico também quando estamos examinando a nossa pergunta vital atual, examinando as nossas intuições, interpretando sonhos e discernindo o significado de cada episódio de sincronicidade.

Acredito que quando estivermos prontos, conseguindo manter nossa energia, surgirá o melhor grupo para nós. Ocasionalmente, no entanto, tenho visto pessoas que parecem prontas, mas mesmo assim não conseguem encontrar um grupo. Sempre achei que se você estiver preparado e não conseguir encontrar um grupo, então você mesmo deve iniciar um. Isso pode parecer difícil, mas acredito que tudo que temos que fazer é nos declarar um grupo e ficar vigilantes; logo, numa loja ou em qualquer outro lugar, estaremos conversando com alguém que casualmente mencionará que está procurando um grupo, também. E assim, de repente, formou-se um.

O Romance

Ao estudarmos a nossa nova ética interpessoal, nenhum assunto é mais importante do que relacionamentos românticos. À luz da nossa nova consciência espiritual, parecemos estar fazendo novamente as velhas perguntas: como é que tornamos duradouros os relacionamentos românticos? Por que o amor romântico muitas vezes termina, degenerando numa complicada luta pelo poder?

Normalmente a experiência romântica começa com bastante facilidade. Olhamos em volta e — bum! — à nossa frente está a pessoa dos nossos sonhos. A primeira conversa confirma isso. Ao contrário das atrações unilaterais que todos nós já experimentamos, esta parece ser real — o sentimento é recíproco. Encontramos inúmeros valores e preferências em comum.

E que emoção! O amor irrompe aos borbotões, o sexo é tórrido e cheio de emoção. Talvez acabemos namorando firme ou casando, fazendo planos para o futuro distante. Pode ser que pela primeira vez em muitos anos nós nos sintamos felizes e até mesmo comentemos que encontramos a nossa outra metade, a pessoa que faz a vida valer a pena.

E então alguma coisa acontece; um dia olhamos em volta e percebemos que nem tudo está correto nessa situação. O nosso parceiro tem um comportamento que não parece apropriado ao espírito do romance. Ele — ou ela — não está nos dando a atenção que sentíamos receber no início do relacionamento. Ou constatamos, talvez, que em nosso entusiasmo exagerado deixamos de perceber que, em certa área do relacionamento, a pessoa nunca nos deu a atenção de que realmente precisávamos. Espantosamente, percebemos ao mesmo tempo que o parceiro tem suas queixas de nós, encontrando defeitos na pessoa que somos e no modo como agimos. Começamos a nos defender, assim como o nosso parceiro, e a típica disputa de poder tem início oficialmente.

A Luta Pela Energia

Pela perspectiva da nossa nova consciência espiritual, agora sabemos o que acontece: o amor acaba e se transforma numa disputa de poder porque começamos a depender da energia do outro, e não da energia que vem da nossa própria ligação interior com o divino.

Vamos estudar a dinâmica social do modo como esse problema geralmente se manifesta. Segundo a antiga visão materialista do mundo, um menino cresce com a mãe para cuidar dele, nutri-lo e zelar pela sua segurança. O pai é mais exigente: afinal, o filho precisa aprender as duras verdades do mundo, e tornar-se um homem. Na mente do menino, a mãe se torna uma figura mágica. Pode ser que ela tenha que ser reprimida, se seus cuidados forem demasiados e se tornarem sufocantes, mas o filho sempre espera que a mãe esteja a postos, num sentido psicológico, todas as vezes que a energia dele estiver baixa.

Uma menina é também cuidada pela mãe, mas, para a menina, a mãe é também aquela que exige, porque se sente responsável por ensinar à menina o papel da mulher. O pai, pelo menos nos primeiros anos de formação, pode ser a figura mágica que adora a menina e a coloca num pedestal. Nas fantasias dela, o pai está sempre a postos para que ela se sinta segura.

Essa divisão de papéis estereotipada e as atitudes percebidas ainda nos afetam. Podemos afirmar que no mundo moderno essa divisão de papéis não faz sentido, mas a programação psicológica inconsciente muitas vezes se faz presente nos relacionamentos e se torna a base para as disputas de energia: o casal começa a encontrar defeitos e motivos de insatisfação um no outro, porque ambos precisam de mais do que a outra pessoa pode lhes dar.

Nos primeiros tempos de uma união amorosa, juntamos nossas energias de um modo que nos dá a sensação de sermos completos. O parceiro ou parceira nos fornece não apenas a lembrança dos cuidados que recebemos da nossa mãe ou do nosso pai como também a sensação daquele relacionamento. As nossas fantasias projetam no nosso parceiro — que é humano, como nós — a ilusão mágica que experimentávamos com nosso pai ou nossa mãe quando éramos crianças. Assim, muitas vezes não enxergamos a identidade mais profunda do nosso companheiro ou companheira: vemos apenas aquilo que fantasiamos.

À medida que o relacionamento progride, aquela sensação de "estar apaixonado" começa a diminuir para os dois parceiros, à medida que cada um se mostra aquém da imagem mágica que o outro projetou. O homem comete erros financeiros, ou perde o emprego, ou chega tarde em casa porque foi a uma partida de futebol; a mulher não está a postos para consolá-lo quando as coisas não vão bem. O monumento da perfeição começa a desmoronar.

Em alguns casos, a decepção com o companheiro ou companheira é tão grande, que imediatamente começamos a fazer planos para terminar o relacionamento, encontrar outra pessoa dos nossos sonhos que não irá nos decepcionar. Em tais casos, simplesmente, iniciamos o ciclo outra vez. Em outros casos, os dois continuam juntos, mas ficam presos num padrão repetitivo de dramas de controle.

Agora, no entanto, por causa da nossa consciência em expansão, temos outras opções. Podemos agir baseados na dinâmica energética que há por trás das nossas dificuldades.

Integrando a Mulher e o Homem Dentro de Nós

Até agora falamos de experiências transcendentais ou místicas como sendo o caminho para abrir a nossa ligação com a energia divina, sob a forma de uma onda de energia que experimentamos como amor, leveza e segurança — e assim é. Mas ao experimentarmos essa energia, verificamos que ela tem também características masculinas e femininas. Como Carl Jung e outros psicólogos famosos demonstraram em suas pesquisas sobre a natureza arquetípica da nossa psique, se pretendemos nos abrir para o potencial total da consciência transpessoal devemos perceber e integrar os aspectos femininos e masculinos do nosso Eu superior.[5]

Para poder ligar-se à energia divina interior, o homem deve localizar, cativar e finalmente absorver a energia da nutriz feminina dentro do seu próprio ser; a mulher deve encontrar dentro de si o provedor, o destemido protetor masculino.

Tendo isso em mente, vemos como é realmente a disputa de poder entre o homem e a mulher: um sintoma de um imenso problema que a nossa sociedade chama de co-dependência.[6] Quando duas pessoas se encontram e se apaixonam, elas estão na verdade fundindo seus campos de energia de modo a fornecer a cada um a parte — masculina ou feminina — que lhe falta. Os dois então começam a depender dessa energia. À medida que o relacionamento progride, no entanto, um começa a duvidar do outro, e os níveis de energia despencam. Então ambos retornam aos seus respectivos dramas de controle, tentando recuperar energia.

Se pretendemos ter relacionamentos duradouros, e não tréguas numa guerra fria, antes de entrarmos num romance devemos compreender a dinâmica energética necessária. Antes de nos tornarmos disponíveis para um relacionamento duradouro, todos nós precisamos encontrar dentro de nós a energia sexual oposta. De certo modo, esse equilíbrio entre o masculino e o feminino dentro de cada um deve ser parte do rito de passagem da adolescência para a idade adulta, tanto quanto terminar o 2º Grau ou tirar carteira de motorista. Nenhum de nós pode ter um relacionamento de alta qualidade se não nos tornarmos espiritualmente seguros e completos no nosso interior.

Ser Feliz Sozinho

Como saber se atingimos esse equilíbrio de energia masculina e feminina e a segurança interior? Acredito que uma medida é a capacidade de sentir-se seguro e produtivo vivendo sozinho. Isso significa sem colegas de quarto ou outras pessoas com quem devemos conviver durante todo o tempo. Temos que ficar felizes preparando e comendo as nossas próprias refeições, não em grandes bocados na frente do fogão mas sim de maneira elegante, à luz de velas, a mesa posta com perfeição por nós. Periodicamente devemos nos sentir bem levando a nós mesmos para um bom programa — um cinema, talvez, ou jantar num bom restaurante, como levaríamos a pessoa amada.

Do mesmo modo, precisamos cuidar de nós mesmos financeiramente, fazer planos para o futuro, negociar nossas próprias transações e desenvolver atividades de lazer. A pessoa de quem devemos depender para nos sentirmos inteiros é o divino que encontramos dentro de nós mesmos, e isso não significa egoísmo ou afastamento do resto da sociedade. Aliás, eu diria que só poderemos nos envolver de maneira saudável com o resto da sociedade quando incorporarmos toda a nossa energia interior.

Só então teremos a possibilidade de relacionamentos amorosos verdadeiros. Como observa o respeitado terapeuta de casais Harville Hendrix em seus livros pioneiros *Getting the Love You Want* e *Keeping the Love You Find*,[7] enquanto estivermos esperando que a nossa energia nos venha de outra pessoa, estaremos aprisionados em relacionamentos que nada mais são do que arenas para disputas de poder.

Acredito que os relacionamentos nos quais exercemos e finalmente percebemos os nossos problemas de disputa de poder nos chegam através da sincronicidade e são na verdade relacionamentos sagrados, como atesta *A Course in Miracles*.[8] A imagem das nossas dependências nos chega constantemente sob a forma de diferentes pessoas, até entendermos a mensagem. Esses relacionamentos acontecem para que possamos transcender a necessidade deles, por menos romântico que isso possa parecer; só então poderemos voltar a depender da nossa ligação interior divina para obtermos amor e segurança. Se somos solteiros, várias pessoas virão procurar em nós a união co-dependente, mas se ficarmos passando de uma pessoa para outra, nada ganharemos. Somente evitando o relacionamento, poderemos obter tempo suficiente para fortalecer nossa ligação interior e ganhar energia para conseguirmos encontrar um companheiro ou companheira mais condizente conosco.

Os Relacionamentos Atuais

Diante disso tudo, o que é que devemos fazer com os nossos relacionamentos atuais?

Acredito que o desafio de incorporar a energia masculina e feminina pode ser enfrentado durante um relacionamento — mas só se ambos entenderem a dinâmica energética do processo e trabalharem juntos nisso. Tentar esse processo sozinho é muito mais difícil.

A resposta é que o casal deve voltar ao amor quando surgir uma disputa de poder. E ambos ficarem alerta para o que está ocorrendo quando um episódio de luta se inicia. Um ou ambos estão insatisfeitos com o comportamento do outro, porque esse comportamento não está à altura do pai — ou mãe — ideal que eles projetam um no outro e porque sua fonte interior de energia está fraca. Precisamos que a outra pessoa se mostre à altura desse nosso ideal porque isso nos permite relaxar e contar com o outro para a nossa segurança. Essa projeção, e toda tentativa de depender do outro como substituto para a energia divina interior, nunca funciona, e sempre degenera em luta pelo poder.

A solução é voltar para um estado de amor e de segurança interior mesmo durante a briga, e exaltar a outra pessoa com todas as suas forças. Para isso você precisará ter experimentado no passado algum tipo de ligação mística, transcendental, que você agora pode recordar e para onde pode retornar. Em outras palavras, retornar ao amor não é uma idéia; é um verdadeiro momento de transformação no qual olhamos para trás em busca de um estado de amor e segurança que tem origem na energia divina interior.

Novamente, avaliar se estamos realmente agindo assim é sempre uma estimativa individual. *A Course in Miracles* afirma que duas pessoas juntas podem alcançar esse estado bem no meio de uma briga, se se aprofundarem suficientemente no amor. No entanto, no calor de uma disputa de poder é muito difícil fazer isso. Para muitas pessoas que se encontram dentro de uma união problemática, é indicada uma separação física — pelo menos uma separação no tempo que passam juntos. No entanto, isso só funcionará se ambos aproveitarem esse tempo para encontrar a abertura mística, a possibilidade da experiência transcendental, e então trouxerem essa aptidão para a relação.

Mas o que é que devemos fazer se sentirmos que estamos num relacionamento errado? Abandonar a união? É uma opção que muitas pessoas escolhem; porém, se não nos dedicarmos à nossa inteireza pessoal antes de nos engajarmos em outro relacionamento romântico, iremos apenas repetir indefinidamente os padrões dos nossos antigos relacionamentos.

Como é que ficamos sabendo quando estamos preparados, quando tivermos conseguido equilibrar o masculino e o feminino dentro de nós? Há terapeutas que afirmam que, por mais que nos consideremos lúcidos, por mais energia que tenhamos obtido sozinhos, o nosso poder interior de amor e segurança ainda será testado nos relacionamentos, e tenho certeza de que assim é. Mas estou convencido também de que a energia e a segurança que aprendemos a buscar dentro de nós é o fator mais importante para o sucesso.

Ser Pai, Ser Mãe

Nenhuma atividade humana é mais iluminada pela consciência espiritual emergente do que ser pai ou mãe, e em nenhuma outra área da vida é mais importante aplicar a nova ética interpessoal. À medida que a nossa consciência espiritual se expande, a responsabilidade para com os nossos filhos aumenta e se torna mais clara. Assim como viemos para os nossos pais para aprendermos o mundo, os nossos filhos nos escolheram. Eles querem aprender o nosso modo de ser, o modo como determinamos a reação apropriada a cada situação e a nossa estratégia de expectativa que ajudará a criar o nosso futuro. E, como veremos nos próximos capítulos, esse relacionamento entre gerações é o mecanismo a longo prazo da própria evolução e progresso da humanidade. Aquilo que a sociedade humana poderá vir a alcançar depende, em grande parte, do modo como cada um de nós se engaja conscientemente nesse processo.

A chave é lembrarmo-nos de onde estamos, enquanto a nossa consciência pessoal se expande, e comunicarmos toda essa consciência para os nossos filhos. É fácil regredir à velha visão materialista do mundo que aprendemos dos nossos pais, dizendo a nós mesmos que uma criança não conseguirá entender as complicações do crescimento interior pelo qual estamos passando. Com demasiada freqüência, enfocamos, em vez disso, o aspecto material e social da vida, criando nossos filhos mais ou menos como fomos criados.

A parte mais importante de ser pai ou mãe é encontrar as palavras simples para comunicar os nossos sonhos e a nossa experiência espiritual. Se tivermos a coragem de tentar, há meios de exprimir nossas crenças sobre a energia divina interior, sobre os dramas de controle que atrapalham o nosso caminho e a força orientadora da sincronicidade, de modo que as crianças possam entender.

Permanecendo Equilibrados Enquanto Castigamos

Outro aspecto importante que a nova ética enfatiza na função de pai ou mãe é a função disciplinar. Temos agora uma boa compreensão científica daquilo que dá errado em muitas famílias, e a sociedade está ofendida pela extensão dos abusos que aconteciam no passado. Antes desviávamos os olhos dos episódios de incesto e violência que existiam em nossas famílias, porém não mais: agora vigiamos como águias, procurando sinais de mau desempenho como pai ou mãe.

Mas quando encaramos o papel de pai ou mãe do ponto de vista da dinâmica energética, constatamos que temos que estar vigilantes também contra as formas mais sutis de abuso: tirar energia de nossos filhos pela simples maneira como interagimos. Em certo sentido, precisamos aprender a caminhar numa trilha estreita. Se aprendemos alguma coisa nas duas últimas gerações foi que também podemos prejudicar nossos filhos se abdicarmos totalmente da disciplina. As crianças têm que ser reprimidas quando estiverem maltratando outras ou ignorando as realidades do mundo. Os pais precisam ensinar aos filhos com uma espécie de amor severo. Os nossos filhos vêm a nós para aprenderem a conviver — para se socializarem — e falhar nessa lição é não cumprir o nosso papel para com eles. Devemos encontrar um modo de ensinar as conseqüências aos nossos filhos sem oprimi-los.

Essa abordagem equilibrada tem início, creio, com uma constante verificação do nosso próprio nível de energia. Em cada interação com nossos filhos, devemos avaliar se permanecemos em ligação com a nossa energia interior, estando assim aptos a manter uma intenção de amor seja qual for a situação. A pior coisa que pode acontecer é continuarmos inconscientes e recairmos no velho drama de controle — por exemplo, entrar no papel de Interrogador com os nossos filhos, perseguindo-os e assim sugando a energia deles para nós. Tudo que isso vai conseguir é forçá-los a criar seu próprio drama de controle para se defenderem.

O desafio é nos lembrarmos da dinâmica energética subjacente; quando os nossos filhos ignoram as regras e seguem em frente sem consciência, podemos reprimi-los e corrigi-los, e ao mesmo tempo enaltecê-los, enfocando o talento em seus rostos. O que queremos fazer é enviar a mensagem psicológica: o que você fez foi errado, mas você é bom.

A nossa meta é estar sempre ali com a nossa energia, ensinando-lhes a nossa visão do mundo e a nossa verdade daquilo que eles precisam levar em conta para poderem ter uma vida plena — inclusive a expectativa de que um dia encontrem sua própria ligação com o divino. Este é o ponto em que devemos estar preparados para deixá-los seguir seu próprio caminho.

Por Que os Nossos Filhos nos Escolheram?

Por que os nossos filhos nos escolheram? Se em algum sentido do Eu superior nós escolhemos os nossos pais, e se as experiências com eles levaram a uma preparação geral que nos ajudou a despertar para uma verdade a transmitir ao mundo, sabemos que o mesmo processo está acontecendo com os nossos filhos. Mostrando-lhes quem realmente somos, estamos lhes dando a preparação para a qual eles vieram.

No entanto, precisamos tomar cuidado ao tentar descobrir qual é a preparação ou quais deveriam ser as verdades deles, porque ninguém está qualificado para avaliar essa experiência — além deles próprios, no futuro. Na minha opinião, um grande equívoco dos pais é achar que sabem o que seus filhos devem fazer e ser. Tal presunção leva apenas ao empobrecimento de opções para essas almas aos nossos cuidados, um erro que pode criar décadas de ressentimento.

Não estou querendo dizer com isso que não temos intuições a respeito do sentido da vida dos nossos filhos; acho que as temos. Qual é a mãe que não sonha com o futuro dos filhos e experimenta aquela sensação inconfundível de que o que ela viu é uma possibilidade real? Os pais podem ter vislumbres especiais a respeito não apenas dos planos de educação e de carreira, mas vários desafios psicológicos dos quais nossos filhos precisam tomar consciência, se pretendem que sua vida cumpra seu próprio destino.

Desse modo, talvez eu deva dizer que, embora experimentemos visões intuitivas a respeito dos caminhos futuros de nossos filhos, não devemos tirar conclusões apressadas ou criar profecias que se fazem cumprir. Isso retiraria o comando de nossos filhos sobre o seu próprio futuro, que sempre será mais amplo e sincronístico do que as nossas intuições. Tudo que podemos fazer é revelar carinhosamente nossos sentimentos e resistir à tentação de vigiar constantemente seus passos ou guiá-los para fora de todos os becos sem saída. Muitas vezes os erros que eles cometem fornecem lições importantes, que se mostrarão essenciais no futuro deles.

A Visão Maior de Ser Pai ou Mãe

Acredito que, para entender inteiramente as implicações espirituais de ser pai ou mãe, precisamos encarar essa área da vida pela perspectiva mais ampla: os nossos filhos estão aqui conosco porque querem aprender a nossa visão da vida, inclusive nossas crenças espirituais. Repetindo: nada é mais importante do que revelar abertamente a nossa vida aos nossos filhos. Certamente temos que ter consciência da idade deles quando discutimos certos assuntos, mas temos também que ser honestos. Podemos encontrar meios para fazer com que as nossas crianças escutem e compreendam, para comunicarmos aquilo por que estamos passando, aquilo que descobrimos espiritualmente, e para tirar o melhor da vida.

Outro problema pode ocorrer nas famílias quando a mãe ou o pai faz da criação dos filhos uma carreira. Não estou me referindo à dona de casa — ou ao dono de casa — que presumivelmente continua a crescer e evoluir; estou falando daquelas pessoas que param de viver e passam a focalizar toda a sua atenção em seus filhos, vivendo através das experiências deles, tanto as felizes quanto as infelizes.

Pior ainda é o pai ou mãe que coloca a criança como determinante de sua auto-estima e *status* social, como vemos nos pais que dão demasiada importância ao sucesso nos esportes infantis ou nos concursos de beleza. É da maior relevância continuarmos a ser criativos e a evoluir na nossa verdade. Os nossos filhos nascem de nós para que possam ver a nossa vida em ação, e assim ser capazes de aprender com esse crescimento e construir sobre ele.

É claro que no final das contas trata-se de uma rua de mão dupla: os nossos filhos nos auxiliam a esclarecer o nosso próprio sentido e ajudam no nosso crescimento sincronístico. Se somos a princípio doadores de energia, logo eles começam a nos dar em retorno importantes mensagens de sincronicidade. À medida que imitam nosso comportamento, eles nos mostram de maneira mais clara a nossa própria realidade — e isso inclui mais do que nossas expressões verbais e o modo de falar, pois mais tarde passam a incluir também as nossas atitudes e o modo como os criamos.

Se nos recusarmos a lidar com certos dramas e certas reações negativas, essas coisas voltarão para nós refletidas no comportamento dos nossos filhos. Desse modo, como veremos mais tarde, os pecados do pai recaem sobre os filhos de uma maneira sociologicamente real. Esse fato deveria no mínimo nos motivar ainda mais a ficarmos ligados à energia interior e mostrarmos a eles uma vida que evolui conscientemente.

Vivenciando a Nova Ética

Como vimos, o alcance da nova ética interpessoal é muito amplo. Uma vez que tenhamos alcançado o nível de consciência no qual sabemos que a maioria dos episódios de sincronicidade nos chega através das outras pessoas, começamos a utilizar a dinâmica energética que aprendemos para exaltar todas as pessoas em nossa vida. Como vimos, isso funciona tanto individualmente quanto em grupos de toda espécie, e é especialmente importante nos relacionamentos românticos. O romance desafia a nossa capacidade de permanecermos equilibrados e ligados, e reforça a necessidade de buscarmos segurança em nossa própria fonte interior de energia divina. A ética é doar energia aos nossos companheiros, e não sugá-la, e a nossa capacidade de fazer isso determina a grandeza que esse relacionamento pode vir a atingir.

Com as crianças, também, a ética é doar energia, é tentar honestamente orientá-las sem controlar demais, e deixar que aprendam quem realmente são. A recompensa é a mesma sincronicidade fértil que nos volta quando exercemos essa ética com todas as pessoas. Quanto mais amor e energia doarmos, mais rapidamente essas mensagens sincronísticas nos chegam, e mais criativa, eficiente e inspiradora será a nossa vida como indivíduos.

No entanto, acredito que no fundo da adoção dessa nova ética exista uma motivação ainda mais profunda; lá no fundo sabemos que, enquanto um número suficiente de indivíduos mantiver sua energia em determinado nível e tentar vivenciar esta ética, o mundo está se preparando para grandes saltos em sua evolução.

10

Caminhando para Uma Cultura Espiritual

O NOSSO PRÓXIMO passo na vivência da nova consciência espiritual começa com uma intuição compartilhada de para onde nos leva a nossa evolução em termos de consciência. O que é que estaria acontecendo, por exemplo, se todos estivessem vivenciando a nova consciência, como a descrevemos até aqui? Como seriam as mudanças na cultura humana?

A busca das respostas a essas questões começa a nos abrir para uma visão interior do destino humano, e acredito que já podemos ver alguns aspectos da nossa cultura em transformação.

A Importância do Dízimo

Em toda a literatura mística clássica encontra-se a afirmação de que existe uma lei universal de dar e receber. Seja o conceito bíblico de "colher o que plantamos" ou a lei do carma no Oriente, as religiões nos ensinam que as nossas intenções e ações retornam para nós, feliz ou infelizmente. "Tudo o que vai, vem" é a maneira contemporânea de exprimir essa idéia.

Muitas religiões e muitos pensadores religiosos aplicaram esse princípio ao fluxo ideal de dinheiro na sociedade, relacionando essa idéia esotérica de causa e efeito à idéia bíblica de pagar o dízimo.

Charles Fillmore, fundador da Igreja da Unidade, e mais Napoleon Hill e Norman Vincent Peale, defenderam a idéia de que a doação de nosso amor e energia, inclusive a doação de dinheiro, sempre cria um efeito no mundo que nos traz de volta ainda mais dinheiro e oportunidades.[1] Pelo que sei, ninguém fez uma pesquisa formal sobre o assunto, mas a evidência de exemplos que apóiam essa afirmação parece estar crescendo rapidamente à medida que mais pessoas experimentam este processo.

Um problema no passado era que as igrejas tradicionais, influenciadas pelo antigo paradigma que removia do universo os mistérios e os milagres, falavam do dízimo apenas durante as campanhas anuais de arrecadação de fundos. Isso fazia as pessoas pensarem que o dízimo era apenas uma maneira de sustentar as igrejas. No entanto, acredito que o fato de termos compartilhado abertamente a experiência espiritual nas décadas recentes está rapidamente ampliando a compreensão do processo de dízimo; parece que está ganhando vulto a idéia de que o ato de doar movimenta um processo metafísico totalmente compatível com o nosso conhecimento de que o universo nos responde.

Outra questão do passado era onde doar nosso dízimo. Algumas pessoas ainda acham que apenas as igrejas tradicionais estão qualificadas para recebê-lo, porque são as mantenedoras da fé e fornecem um fluxo constante de informação espiritual. Outros dizem que qualquer doação de caridade é essencialmente um pagamento de dízimo, e como tal provoca uma resposta do universo. Eu pessoalmente penso que estamos descobrindo que pagar o dízimo é um processo que deve estar sempre integrado ao resto do movimento sincronístico em nossa vida. Em outras palavras: saberemos onde doar baseados na sincronicidade da situação.

Segundo este ponto de vista, existem dois tipos de dízimo. Um é intuitivo — uma reação a um impulso de dar dinheiro a um indivíduo ou a uma organização, porque nos sentimos interiormente orientados a fazer isso. Um amigo meu diz ser guiado por uma pergunta: se Deus não pudesse vir e tivesse mandado você no lugar, que efeito Deus teria conseguido nessa situação? No nível mais elevado, doamos porque estamos ali; se nós não reagirmos à situação, quem reagirá?

O outro tipo de dízimo, aquele que é especialmente importante para a transformação da sociedade humana, é o dízimo dado para as nossas fontes de informação espiritual — isto é, para as fontes específicas dos nossos momentos sincronísticos cotidianos. Como as igrejas e as organizações espirituais podem nos trazer informações no momento certo, elas certamente continuarão a ser as beneficiárias do dízimo, mas as pessoas também passarão a ser — pois, como vimos, são quase sempre as mensagens vindas de outras pessoas que nos levam para a frente em nossa jornada. O dízimo é uma maneira de corresponder.

Vamos imaginar, por um instante, que todos que vivem seu crescimento sincronístico comecem a pagar dízimo aos outros: teria início todo um novo tipo de fluxo econômico. Daríamos dinheiro espontaneamente às pessoas que nos trazem mensagens e, à medida que transmitíssemos a nossa verdade aos outros, receberíamos dinheiro do mesmo modo. (Uma observação pessoal: recebi muitos dízimos, e minha rotina é de repassar o dinheiro como um dízimo meu próprio. E pediria a qualquer pessoa que possa um dia querer me pagar o dízimo que, por favor, envie o dinheiro para uma obra de caridade.)

Acredito que a doação espontânea esteja suplementando o nosso sistema econômico, confirmando a idéia e a fé de que a sincronicidade pode suplementar e ampliar o enfoque unicamente no planejamento lógico postulado pelo antigo paradigma. Não estamos descartando as vastas redes de pessoas com quem fazemos negócios da maneira comum; estamos espontaneamente aumentando o seu número, liberando todo o sistema econômico global, a fim de saltar para um nível de produtividade mais alto.

A Nova Economia

Introduzir a prática de pagar o dízimo sincronisticamente ajuda-nos também na nossa adaptação a várias outras tendências econômicas que são perturbadoras: a diminuição do tamanho de indústrias, negócios e corporações, e a estagnação do salário nos países desenvolvidos por causa da competição global.

Diminuir uma empresa de tamanho só é possível se os funcionários remanescentes puderem aumentar sua produtividade, que é exatamente o que o computador e o aperfeiçoamento dos sistemas de comunicação permitem. Pode-se esperar uma intensificação na guerra de salários se o resto do mundo participar do nível de criatividade que as nações desenvolvidas atingiram, de modo que essa tendência continuará e precisamos nos adaptar. Isto certamente não significa que devemos encorajar os países em desenvolvimento a cometer os mesmos erros que cometemos, tais como o desperdício dos recursos ou a exploração dos trabalhadores, mas a maioria de nós concordaria, imagino, que eles têm o direito de participar da economia mundial.

Como, então, lidamos com essas questões? Em primeiro lugar, temos que enxergar o quadro mais abrangente da evolução econômica.[2] Nos Estados Unidos, alguns dos indicadores econômicos mais observados são os que medem a produtividade, a quantidade de mercadorias e serviços produzidos por unidade de trabalho: se a nossa produção está aumentando, achamos que a nossa economia está saudável e crescendo. No entanto temos que perguntar: aonde esse processo vai parar? A cada ano menos pessoas irão prover as necessidades básicas da vida.

O desafio é pensar nessa evolução não como uma coisa negativa, mas sim extremamente positiva, porque desse processo virá um dia a liberação da nossa atenção criadora. Podemos perceber, acredito, que grande parte desse processo pelo que estamos passando pertence à evolução econômica destinada ao mundo, e podemos nos orientar melhor se nos tornarmos conscientes disso.

A curto prazo, temos que nos adaptar à mudança, desde a manufatura industrial, que se tornará cada vez mais automatizada, até empregos e empresas que não fornecem mercadorias, mas informação. E os dados mostram que isto já está acontecendo. Nos Estados Unidos, um crescente número de pessoas está iniciando negócios próprios — no entanto, esses negócios não são principalmente aqueles que requerem grande capital; são empresas caseiras. Nos Estados Unidos, quase 35 milhões de lares mantêm agora uma empresa caseira, a maioria delas no setor de informação.[3]

Mas acredito que podemos ver a longo prazo que um dia as nossas necessidades básicas serão totalmente automatizadas e que a vida econômica será orientada quase que por completo pelo fluxo da informação no momento certo. A princípio, essa informação dirá respeito ao processo de automação, mas, posteriormente, refletirá a nossa evolução para uma cultura espiritual e envolverá informações de natureza puramente espiritual.

É óbvio que a implementação do sistema de dízimo irá facilitar esse processo; a princípio, suplementando a nossa renda enquanto a economia muda e, depois, gradualmente substituindo o antigo sistema de cobrar pelos nossos serviços por um sistema em que uma pessoa revela a sua verdade num fluxo de encontros sincronísticos e recebe dinheiro como dízimo da parte de quem recebeu essa verdade. Por mais que isso possa soar extravagante do ponto de vista do antigo paradigma competitivo, podemos perceber, creio, que tal sistema é inerente à operação do capitalismo.

Como discutiremos mais tarde, se estamos verdadeiramente motivados pelo princípio capitalista de identificar uma necessidade e provê-la, este é o único futuro possível para a nossa economia. O primeiro estágio na implementação de tal sistema seria o direito básico à propriedade — talvez através de ações — das indústrias automatizadas. Isso garantiria acesso às necessidades de subsistência, depois do que ganharíamos dinheiro fornecendo informação e serviços sincronísticos. Sob esse sistema, um dia poderíamos parar de vez de usar dinheiro, assim como profetizaram os escritores de ficção científica. Isso acontecerá se a nova consciência espiritual que imaginamos até agora tiver se tornado uma realidade humana.

Além disso, seriam necessárias descobertas tecnológicas essenciais, inclusive uma fonte de energia de baixo custo. Mas estamos mais perto que nunca dessas descobertas: segundo o dr. Eugene F. Mallove, estamos prestes a tornar praticáveis várias novas fontes de energia, inclusive o processo bastante debatido da fusão a frio.[4] Se uma energia de baixo custo puder ser incorporada à economia mundial, a automação irá florescer.

Talvez o mais importante seja que precisamos começar agora a vivenciar essa nova idéia econômica. Haverá problemas econômicos pelo caminho? Se William Greider estiver correto em seu recente livro *One World, Ready or Not*,[5] temos que estar preparados para alguma crise econômica resultante da especulação financeira atual. Segundo Greider, o mundo inteiro está na mesma posição em que os Estados Unidos se encontravam em 1929: pedindo dinheiro emprestado em demasia, para especulação econômica. Quando a bolha estourou em 1929, houve de repente uma carência generalizada de dinheiro; os bancos que tinham emprestado o dinheiro dos depositantes para especulação tiveram que fechar as portas e muita gente perdeu as economias da vida inteira.

Como reação, os Estados Unidos estabeleceram limites no empréstimo doméstico e instituíram o seguro do depósito, e muitos outros governos fizeram o mesmo. Mas nos últimos anos, em resposta ao crescente mercado mundial, os governos permitiram que o capital financeiro atravessasse fronteiras sem muitos regulamentos, de modo que agora existe uma quantidade crescente de dinheiro investido e especulado internacionalmente, do modo exato que criou o colapso econômico de 1929. Hoje, essa especulação mundial atinge todas as moedas mais importantes, sem que qualquer governo consiga fazer alguma coisa sobre isso. Vastas quantidades de dinheiro podem ser dadas como empréstimo num país e investidas como especulação em outro, com poucas limitações. Poderia haver um equívoco, uma fusão, que colocasse em sério risco a saúde do sistema bancário ou monetário de um ou mais de um país? Claro que sim.

Tais problemas globais apenas ressaltam a necessidade de que as economias locais fiquem mais fortes. O dízimo sincronístico pode apontar e superar os problemas resultantes de outros excessos.

A Sincronicidade e a Energia

E quanto às outras mudanças na cultura humana resultantes da nova consciência espiritual? Talvez a mais importante seja a continuada expansão do nível de energia pessoal. Uma vez tendo experimentado o influxo total de energia durante uma experiência mística e tendo a sincronicidade de nossa vida começado a transmitir nossa verdade pessoal, podemos instituir sistematicamente em nossa vida — à medida que transmitimos essa verdade — níveis ainda mais elevados dessa energia mística original. Em outras palavras: enquanto permanecermos no caminho sincronístico, seremos capazes de alcançar níveis de energia cada vez mais elevados.

E não é este o processo que esteve por trás da História e da luta da humanidade desde o início? Desde os primórdios da humanidade, os seres humanos têm ficado mais fortes e vivido mais tempo a cada geração. Além disso, a civilização humana criou exemplos cada vez mais sofisticados daquilo que sempre denominamos "gênio". Uma percentagem da população mundial maior do que nunca na História humana agora vive uma vida inspirada e plena de energia. No passado, explicávamos este progresso nos termos do materialismo secular — isto é, melhor alimentação, maior higiene e avanços na medicina.

No entanto, como vimos, a velha visão materialista do mundo está evoluindo para uma nova compreensão pela qual sabemos que na realidade não existe matéria: nos níveis mais minúsculos os átomos do nosso corpo dissolvem-se em meros padrões de energia, ondas vibratórias que podem mudar de forma e reconstituir-se das maneiras mais espantosas. De que outro modo podemos explicar ocorrências tais como a cura espontânea, em que tumores desaparecem ou tecidos se regeneram completamente da noite para o dia?[6] O progresso das gerações é um progresso feito de inspiração, fé e confiança, e níveis de energia interior sempre crescentes.

A Lição dos Esportes

Quando conversamos com adeptos de qualquer tipo de esporte ou exercício físico, constatamos que a maioria deles tem essa atividade não por causa da emoção de vencer ou de melhorar sua aparência, mas por causa das recompensas interiores. Correr e outros exercícios aeróbicos trazem a euforia de superar "a muralha", aquela sensação de não poder ir além. E uma vez terminada a atividade fatigante, os participantes relatam que se sentem mais leves, mais calmos, mais coordenados e com mais facilidade de movimentos.

Nós nos dedicamos aos esportes e aos exercícios aeróbicos porque durante e depois sentimos que estamos mais fortes, mais energizados, até mesmo mais inteligentes. E a cada ano nós nos aperfeiçoamos nisso por um período de tempo cada vez maior. Musculação, corrida, artes marciais, tênis, patinação no gelo, saltos, golfe, natação, ginástica — cada um tem um limite de desempenho que está sendo constantemente forçado e ampliado à medida que os velhos recordes dão lugar a novas façanhas.

A antiga visão do mundo que reduz nosso corpo a músculos, ossos e ligamentos não tem uma explicação real para onde este processo vai terminar. Um materialista, se pressionado, dirá que o corpo humano atingirá um dia o seu potencial total, de modo que um corredor então não conseguirá correr mais depressa, ou um levantador de peso não poderá levantar mais um quilo sequer, ou um tenista certamente não alcançará bolas mais difíceis. No entanto, como a milha-em-quatro-minutos, todas as pretensas barreiras serão ultrapassadas. Continuamos a correr mais depressa, com melhor coordenação, sincronização e leveza.

Onde, então, isso irá terminar? A única resposta que se ajusta aos fatos é que não terminará; mais cedo ou mais tarde, os atletas que correm o tiro de 100 metros estarão correndo tão depressa, que seu corpo irá instantaneamente mudar de forma para reagir à certeza da vontade daquilo que pode ser atingido. Enquanto correrem pela pista, eles serão meros riscos de luz.

O Testemunho dos Iogues

Através da História, o Oriente produziu homens que do mesmo modo alargaram as fronteiras da capacidade humana. Em sua importante obra *The Future of the Body*, o escritor Michael Murphy reuniu uma espantosa coleção de casos documentados de transformações corporais insólitas, inclusive a capacidade de levitação, mudanças de forma espontâneas e inacreditáveis demonstrações de força.[7] Muitos pensadores da tradição oriental consideram esses atributos o resultado máximo da prática do ioga, talvez ainda raro, mas o desfecho esperado de anos de meditação e de prática do movimento.

Durante séculos, o Ocidente tem ficado completamente atônito diante dessas façanhas. A Bíblia nos diz que Jesus foi visto desaparecendo e aparecendo à vontade, caminhando sobre a água e outras coisas; porém, depois que Newton formalizou a visão de um universo mecânico, essas aptidões foram consideradas como mágicas ou metáforas, matéria de mito ou truques, mas certamente não exemplos de capacidades humanas reais. Mais tarde, a Igreja cristã explicou essas aptidões como a marca da divindade, algo que certamente os humanos jamais conseguiriam imitar.

No entanto, como Michael Murphy demonstrou, os exemplos de capacidade transcendental abundam tanto na História ocidental quanto na oriental, e o despertar que hoje ocorre inclui uma revisão daquilo que é possível não apenas para adeptos especiais, mas também para mim e para você.

Aonde Estamos Indo

Enquanto estudamos esses acontecimentos, imaginamos como a cultura humana mudará no futuro. E essa visão nos dará mais coragem para modificar nosso estilo de vida e abraçar totalmente o mundo espiritual em que vivemos.

Como vimos, o novo mundo pode ser de grande criatividade e realização pessoal. Imagine como será a vida quando a maioria das pessoas com quem conversamos conhecer o processo e esperar que cada conversa seja especial e traga uma mensagem!

O ritmo e o estilo da interação humana mudarão por completo, e isso logo terá um impacto na economia. Uma vez que um número suficiente de pessoas compreenda e comprove experimentalmente que o princípio do dízimo funciona, abraçaremos com plenitude esse processo, doando sincronisticamente uma percentagem da nossa renda para as fontes que sentimos o impulso de apoiar. Do mesmo modo, a oportunidade e as finanças virão de volta a nós, de maneira mágica, compatível com as nossas expectativas. A evidência está no desfecho.

Como já vimos, esse sistema de doação irá a princípio suplementar a nossa renda enquanto o progresso tecnológico automatiza a provisão de um número cada vez maior das nossas necessidades materiais, e posteriormente caracterizará totalmente a era da informação, à medida que nosso enfoque passe do acúmulo de segurança material para a inspiração mais elevada do crescimento sincronístico. E, mais uma vez, à medida que a sincronicidade persistir e a inspiração aumentar, o nosso corpo alcançará níveis de energia cada vez mais elevados, até nos tornarmos seres espirituais de luz.

11

Do Outro Lado da Morte

Se o nosso destino é nos tornarmos seres espirituais na Terra, e quanto ao resto da história — o processo de nascer e morrer? O que é que vamos descobrir a respeito da dimensão celestial de onde viemos e para onde retornaremos, quando nosso tempo aqui tiver expirado?

Segundo as pesquisas mais recentes, uma grande maioria dos norte-americanos acredita na vida após a morte, e a percentagem é ainda maior em muitos outros países do mundo. No entanto, segundo dizem todos, as nossas idéias atuais sobre o Além são muito diferentes da idéia de céu e inferno predominante na antiga cultura materialista.[1]

No passado, imaginávamos a vida após a morte como uma bela caricatura de anjos, harpas e nuvens, porque a nossa postura psicológica de negar o mistério imposto pela morte nos impedia de meditar sobre o assunto em detalhes. Olhar mais de perto significava que teríamos que encarar a nossa morte de frente como um acontecimento real, e isso era algo que a cultura humana, pelo menos no Ocidente, não tinha tempo de fazer.

Como vimos, porém, a psicologia humanista de meados do século XX começou a erodir a nossa negação. Estamos agora ganhando a capacidade não apenas de encarar a morte como uma parte natural da vida, como também de pesquisar detalhes daquilo que parece acontecer durante esse processo. Ao longo das últimas décadas, houve na nossa cultura uma inundação de novas informações; uma torrente de livros a respeito da experiência de chegar ao limiar da morte, trazendo relatos de indivíduos que estiveram clinicamente mortos por algum tempo e então voltaram à vida. Em sua maior parte, eles voltaram porque sentiram, ou lhes foi dito, que ainda tinham algo a fazer aqui.

Além disso, vários pesquisadores bastante respeitados, tais como Kenneth Ring e Melvin Morse, investigaram cientificamente experiências no limiar da morte, fornecendo para o público em geral resumos de grande credibilidade e bastante difundidos.[2]

O cinema disseminou ainda mais essas informações a respeito da vida no Além, e fê-la parecer mais real. Quem, por exemplo, não mergulhou totalmente no realismo do filme *Always*, uma história de amor sobre um piloto de avião do Serviço Florestal que salvou a vida de um amigo, mas perdeu a sua numa terrível explosão do avião? Mais tarde ele se encontrou caminhando no solo, pensando que de alguma forma tinha escapado da morte; foi necessário o auxílio de um espírito guia para convencê-lo de que realmente morrera, e que daí em diante deveria ele próprio ser um espírito guia para o inexperiente piloto enviado para ocupar o seu lugar. O realismo desse relacionamento afetou a todos.

Outro bom exemplo é o filme *Ghost*, a história de um homem que foi morto numa tentativa de roubo, mas encontrou-se ainda na Terra, capaz de ver tudo que acontecia, porém incapaz de mostrar sua presença aos outros. Ele ficou para ajudar a proteger sua amiga do assassino, que procurava uma senha secreta de computador. Ao longo do filme, ele conheceu outros fantasmas, aprendeu como eles faziam contato com os vivos e conheceu uma médium que conseguia ouvi-lo.

Esses filmes apresentam temas fascinantes, que refletem um conhecimento emergente sobre aquilo que podemos esperar depois da morte. Ainda restam muitas perguntas, mas, graças à disseminação de informações a respeito da vida no Além, estamos começando a formar uma imagem mais clara da morte, e esse conhecimento está ampliando a nossa perspectiva a respeito da nossa existência e evolução na Terra.

A Experiência no Limiar da Morte

Um aspecto espantoso da experiência no limiar da morte é que a maioria das pessoas que morrem e voltam contam histórias semelhantes sobre o que lhes aconteceu. Muitas, por exemplo, deixam o corpo e pairam, a princípio, acima do leito ou da cena do acidente em que foram feridas, muitas vezes observando as tentativas de ressuscitação e escutando conversas que mais tarde foram verificadas e confirmadas.

Algumas pessoas até mesmo ficam vagando perto do hospital por algum tempo antes de se perguntarem: "E agora?". Esta pergunta costuma trazer à pessoa uma sensação de movimento, e ela entra no que é sempre descrito como um túnel de luz. Outras pessoas sequer olham à sua volta depois da morte; entram imediatamente nesse túnel.

O túnel às vezes leva a uma área de espera ou de descanso, de luz branca e cálida, onde ela se sente banhada numa sensação de imenso amor e de paz. Muitas vezes, a pessoa é recebida por parentes e amigos já falecidos, que explicam a sua situação; em geral ela sente que voltou para casa e não lhe agrada a idéia de retornar ao plano material.

Em certo momento, porém, essas pessoas que se encontram no limiar da morte são submetidas àquilo que costumam chamar de Revisão da Vida. Depois, elas, às vezes, ganham o direito de escolher se querem ficar ou voltar. Outras vezes, dizem-lhes definitivamente que elas têm que retornar, e lhes dizem o motivo. É muito freqüente que a pessoa passando pela experiência no limiar da morte perceba, num momento de lucidez e visão, aquilo que lhes falta fazer no plano material.

Para todos, sem exceção, a experiência mudou radicalmente a sua vida. A maioria passou a ter uma vida de inspiração, doação e amor.[3]

A Revisão da Vida

A Revisão da Vida é um dos aspectos mais fascinantes da experiência no limiar da morte. Em geral as pessoas relatam ter visto sua vida inteira passando diante dos seus olhos, não exatamente como um filme, mas como uma representação holográfica. Elas enxergam tudo em detalhes e têm a experiência de ver sua vida sob julgamento, não de outros, mas de si próprias. É como se a sua consciência tivesse se expandido e se unido a uma inteligência divina maior.

Nesse lugar de alto entendimento, os indivíduos no limiar da morte dizem que durante o processo de revisão compreendem as decisões erradas que tomaram e como poderiam ter lidado melhor com certas situações. A revisão é ao mesmo tempo intensamente dolorosa e extasiantemente alegre, dependendo do que estão vendo. Quando revêem um incidente onde magoaram alguém emocionalmente, elas sentem realmente a dor que a outra pessoa sentiu, como se estivessem dentro do corpo dela.

Inversamente, são capazes também de ver e sentir a alegria e o amor que criaram nas outras pessoas, tornando-se cada uma delas. Por causa dessa intensa e profunda empatia, a maioria das pessoas que passam por uma experiência no limiar da morte volta à vida fortemente determinada a não cometer os mesmos erros e a multiplicar a ajuda aos outros. Cada comentário, cada interação com um amigo ou uma criança, cada pensamento enviado ao mundo a respeito de alguém adquire agora um sentido maior, pois a pessoa sabe que cada um desses atos será um dia revivido e julgado.

Parece que em certo nível nós sempre soubemos dessa Revisão da Vida. Quem nunca ouviu falar em alguém comentar depois de um risco de morte: "Minha vida inteira passou diante dos meus olhos!"? Do mesmo modo, grande parte da literatura sagrada dedicada ao julgamento depois da morte aponta para algum tipo de Revisão da Vida. Hoje, no entanto, estamos trazendo os detalhes dessa experiência para o nível consciente. Somos julgados quando morremos, porém aparentemente não somos julgados por um deus vingativo, mas sim por uma consciência divina da qual fazemos parte.

Um resultado da disseminação dessas informações é que todos nós podemos diminuir o nosso ritmo e nos tornarmos mais cônscios do efeito dos nossos atos. Além disso, nos permite uma compreensão ainda maior do motivo por que deveríamos sempre exaltar conscientemente as outras pessoas. Podemos ainda cometer equívocos, mas agora podemos dar uma parada periódica para rever como vamos indo — na verdade, fazendo uma Revisão de Vida adiantada. Acredito que constataremos que é este o verdadeiro processo de arrependimento.

O Problema do Mal

E quanto ao diabo e à conspiração dos anjos decaídos, de que nos falam tantas tradições religiosas? Nenhuma pesquisa sobre as experiências no limiar da morte encontrou qualquer evidência de tais travessuras.

O fenômeno do limiar da morte confirma que existe uma única força divina no universo, e que essa força é positiva. O problema do mal diz respeito ao ego e ao temor humanos, que nos alienam dessa força criativa. Quando nós, seres humanos, estamos ligados a essa divindade, tanto aqui quanto no Além, a nossa segurança vem do interior; quando estamos alienados da fonte divina, procuramos a segurança fora de nós, em alguma forma de gratificação do ego e de dramas de controle sugadores de energia.

Como vimos no Capítulo 5, os seres humanos inventam todo tipo de mecanismos para estreitar sua experiência e afastar a ansiedade da vida. Todo o mal, desde os fetiches sórdidos do tarado sexual até as jogadas desesperadas do criminoso de colarinho branco, é apenas um modo de reprimir o medo da perdição, mesmo que só por um momento. O mal e o inferno são estados internos.

Os criminosos mais violentos crescem num ambiente carente, caracterizado pela negligência, pela violência e por um grande medo; uma criança em tal ambiente muitas vezes apanha por chorar, às vezes é sexualmente torturada por pais e irmãos, aterrorizada pelas crianças mais velhas na vizinhança e essencialmente abandonada para cuidar de si mesma. Nessas circunstâncias, a quantidade de temor diário é inconcebível para aqueles de nós que cresceram em situações familiares mais seguras. Essas crianças precisam encontrar alguma maneira de sobreviver, de afastar da mente o terror e a ansiedade.

Um típico mecanismo de sobrevivência nessa situação é uma espécie qualquer de fetiche ou obsessão que pode ser repetida o suficiente para criar uma sensação de controle. Nos níveis superficiais de ansiedade, essa atividade pode ser simplesmente a bazófia do assaltante; em níveis mais extremos, são as atividades atormentadas de um assassino serial ou a desumanização de um terrorista. Todos esses comportamentos devem ser entendidos como mecanismos de defesa contra o enorme temor resultante da alienação espiritual.[4]

A Natureza do Inferno

O problema de construir mecanismos ilusórios para afastar a ansiedade é que eles regularmente entram em colapso. Eles aliviam o sintoma — a ansiedade — e não a verdadeira doença do medo e da insegurança, de modo que a longo prazo estão fadados ao fracasso. No caso do assaltante, fazer pose de durão e intimidar turistas pode funcionar por algum tempo, porém mais cedo ou mais tarde os horrores da infância e o terror da perdição voltam à sua consciência.

Como o viciado que precisa de uma dose cada vez maior da droga para obter a mesma sensação, o assaltante precisará acelerar a sua atividade, sua bazófia e sua audácia, para tornar a afastar a ansiedade. No entanto, isso o coloca em situações cada vez mais perigosas, e seu medo só faz aumentar.

Este enredo também pode ser seguido pelo criminoso de colarinho branco, cujas ilusões finalmente o alcançam, ou por qualquer um a quem as drogas, o trabalho, as compras, a comida, os esportes ou o sexo escapam ao controle. Seja qual for a muleta ou o comportamento obsessivo, nunca atinge a raiz e seu destino é o colapso; a angústia volta aos poucos e somos empurrados em nossa infindável fuga para a alienação. É esta a natureza do inferno na Terra — e segundo grande parte da informação vinda de pesquisadores de experiências no limiar da morte e experiências fora do corpo, é a natureza do inferno também no Além.

Robert Monroe relatou que, durante suas viagens na dimensão do Além, ele regularmente via artefatos infernais de ilusão construídos por grupos de almas que perseguiam o sexo obsessivamente como uma defesa contra sua perdição.[5] Nas descrições do Além feitas por Arthur Ford através da psicografia de Ruth Montgomery, certas almas não conseguem despertar para o Céu depois da morte — presas, sem dúvida, às mesmas ilusões que criavam em vida.[6]

Tais relatos sugerem que existe também um grande esforço por parte de outros seres no Além de ajudar essas almas iludidas. Provavelmente fazem isso usando o mesmo processo de exaltação que já conhecemos: o processo de enfocar o Eu superior da alma e projetar energia até que a alma desperte, rompa a atividade obsessiva e comece a abrir-se para o divino em seu interior — a única cura real para qualquer atividade obsessiva.

Em nenhum desses relatos, no entanto, existe qualquer sinal de uma conspiração malévola. Acho que temos que concluir que os anjos decaídos das Escrituras são simbólicos. Como sugeriram pensadores desde Carl Jung até Joseph Campbell, a queda bíblica, inclusive a história da queda de Satã e seu banimento para o inferno, são meras metáforas dos perigos inerentes à evolução humana. Em sua jornada evolucionária em direção à espiritualidade, a humanidade teve que emergir da inconsciência desenvolvendo a força do ego e tornando-se cônscia de si mesma; no entanto, para continuar esse progresso, os nossos egos precisam dar prioridade ao Eu superior e parar de resistir à abertura para a experiência transcendental.

Todos nós observamos a rebeldia de um adolescente tentando ser alguém e criar uma identidade própria, separada das identidades dos seus pais; do mesmo modo, para podermos desenvolver o nosso ego independente, nós nos afastamos da nossa fonte intuitiva e tentamos controlar nossa vida sozinhos. Pode-se dizer que a cultura ocidental como um todo esteve nesse estado de rebeldia durante 400 ou 500 anos, tendo decidido, por causa do medo, negar o aspecto maior do nosso ser.

Em certo sentido, o simbolismo de um demônio à espreita, pronto para desviar nossa vida se nos afastarmos demais de Deus, é correto, porque o ego, afastado do divino em nosso interior, é capaz de fazer exatamente isso.

A Visão do Nascimento

Outra característica da experiência no limiar da morte que aumenta a nossa compreensão da vida terrena é a Visão do Nascimento. Trata-se de uma imagem panorâmica da história da nossa vida como ela deveria ser, que algumas pessoas relatam ter visto antes de voltar de uma experiência no limiar da morte.[7] Quando recebem a Visão do Nascimento, elas relatam que conseguem ver por que precisam voltar, pois compreendem o que deixaram por fazer aqui no plano terreno.

O fato de sabermos que essa visão existe reforça a idéia de que cada um de nós pode descobrir seu verdadeiro destino, mesmo não tendo tido uma experiência no limiar da morte. Já vimos que uma compreensão do nosso passado e de tudo que nos aconteceu pode nos ajudar a sentir a verdade que estamos destinados a transmitir ao mundo; mas está também ao alcance da nossa consciência uma precognição mais abrangente do nosso destino, uma visão geral daquilo que podemos conseguir neste planeta, revelando a nossa verdade e seguindo a nossa orientação sincronística. O resultado é um senso novo e mais definido de quem podemos vir a ser.

A maioria das experiências de Visão do Nascimento que não fazem parte de uma experiência no limiar da morte parece ocorrer como resultado de uma prática espiritual, através da oração ou da meditação, ou de alguma outra atividade que expanda a nossa abertura interior para o divino. Por exemplo, você pode estar caminhando por um lugar de rara beleza, e decidir meditar; enquanto medita, seu ego se acalma. Depois você pode projetar a intenção de esclarecimento e enfocar a questão interior: "O que é que devo fazer?".

Nesse tipo de situação, podemos experimentar uma onda de inspiração e ver uma imagem, como se fosse um devaneio, de nós próprios fazendo alguma coisa. Muitas vezes tal imagem é uma resposta intuitiva para a nossa pergunta vital atual, mas às vezes, como veremos no capítulo final, a imagem se expande e se prolonga até o futuro, ultrapassando a situação atual — revelando com mais detalhes aquilo que a pessoa veio fazer nesta vida. Tudo isso corresponderá à verdade geral para cuja transmissão você sabe que a vida o preparou mas irá ainda mais longe: revelará a evolução ideal dessa verdade na direção daquilo que só pode ser descrito como uma missão.

Por exemplo, vamos dizer que exista uma jovem que já sabe que deseja abandonar a carreira em *marketing* para passar a ensinar, porque seu passado a preparou para ajudar crianças a aprender a amar a leitura. Ela pode então expandir essa sensação da sua verdade através de uma Visão do Nascimento mais ampla, que revele a missão maior de criar um modelo da sua técnica de ensino que possa ser utilizado nas salas de aula de toda parte. Essa revelação parecerá mais um quadro completo daquilo que a sua devoção à própria verdade poderá levá-la a conseguir, se ela mantiver a fé.

Tal visão do futuro seria acompanhada de sentimentos de inspiração e orgulho. Ela sentiria: "Se eu pudesse fazer isso, estaria cheia de vida, completamente realizada." Experimentada dessa maneira, a Visão do Nascimento permanece no fundo da nossa mente como uma imagem de possibilidade que ajuda a compreender a nossa pergunta atual e dá profundidade às coincidências cotidianas que experimentamos. Ganhamos a compreensão não apenas de que temos uma verdade a transmitir mas também do que poderá acontecer se a transmitirmos da maneira mais plena possível.

Eu, pessoalmente, experimentei tal visão em 1973, enquanto caminhava nas Montanhas Great Smoky, no Tennessee. Lá eu tive um vislumbre de tudo que iria acontecer com *A Profecia Celestina* 20 anos depois: meu trabalho me levando a escrever um livro, sua popularidade como descrição da consciência espiritual emergente, os esforços posteriores para salvar áreas selvagens, tudo. A princípio achei que nada mais era senão uma alucinação, mas a lembrança dessa visão jamais desapareceu... e, quando ela começou a se tornar realidade, percebi que tinha sido uma verdadeira Visão do Nascimento.

Estamos Aqui em Missão

Podemos perceber agora todo o impacto que as informações sobre o Além estão tendo em nossa vida terrena. A consciência espiritual emergente está baseada na percepção da sincronicidade, e cada nível dessa consciência nos dá uma compreensão melhor do que é essa sincronicidade e de como utilizá-la todos os dias. A vida após a morte nos dá a perspectiva mais elevada desse processo: estamos aqui em missão, e a sincronicidade que podemos vivenciar nos orienta para o cumprimento da nossa missão.

Agora fica clara a verdadeira importância de nos ligarmos interiormente, anularmos os nossos mecanismos de controle e encontrarmos a nossa verdade a ser transmitida. É o processo de despertarmos para quem realmente somos. O fato é que a vida terrena serve para nos tornarmos mais conscientes da nossa natureza espiritual.

Quando encontrarmos a verdade que temos a transmitir, ela nos levará para a nossa carreira e o nosso lugar na sociedade — um processo que pode ser incrementado por uma Visão do Nascimento daquilo que o nosso trabalho pode vir a conseguir.

A Realidade da Reencarnação

Embora filmes, livros e pesquisas sobre a reencarnação tenham se tornado mais comuns na cultura contemporânea, a idéia permanece difícil para muita gente. Diversas religiões ensinam que temos uma única experiência de vida e então teremos que enfrentar o julgamento e a eternidade, mas esses ensinamentos não se coadunam com as pesquisas e as experiências modernas.

Hoje existem exemplos em demasia de crianças que conseguem recordar não apenas vagas imagens de outra vida, mas os nomes, as cidades e detalhes de uma vida anterior que foram verificados e confirmados.[8] Basta uma olhada superficial no que já foi escrito sobre isso para encontrarmos muitas evidências de que vivemos mais de uma vida. O dr. Brian Weiss, antigo Chefe do Departamento de Psiquiatria do Centro Médico de Mount Sinai, lidera uma impressionante lista de médicos e escritores que rotineiramente usam considerações de vidas anteriores em sua terapia. Como o dr. Weiss demonstra em seu livro *Many Lives, Many Masters*, certas fobias, certos acessos de ansiedade e outros problemas originam-se muitas vezes não na infância, mas antes disso — em vidas anteriores. O dr. Weiss, aliás, acha que a princípio qualquer pessoa pode começar a recordar suas vidas anteriores através da meditação orientada.[9]

Como é que esse conhecimento da reencarnação está nos ajudando a expandir a nossa consciência? Sabemos que não apenas estamos seguindo uma viagem sincronística e encontrando o nosso verdadeiro lugar na sociedade, mas também que viemos para cá com a intenção de completar uma missão maior. Bem, se estamos aqui em missão, todo mundo está também.

Isso leva cada encontro sincronístico a um nível mais alto. Temos que partir do princípio de que viemos para cá para fazer contato uns com os outros no momento exato, como matéria de intenção. Mas o que acontece se o encontro sair errado? Quantas vezes, por exemplo, ficamos conhecendo uma pessoa que nunca vimos ou de quem nunca ouvimos falar, e automaticamente antipatizamos com ela à primeira vista, sem motivo? E o que acontece se não conseguirmos superar essa reação e assim deixarmos de exaltar a pessoa ou até mesmo de tentar uma comunicação?

Teremos que ver tudo isso novamente em nossa Revisão de Vida, talvez percebendo que parte da nossa Visão do Nascimento era transmitir a nossa verdade bem a tempo de colocar aquela pessoa numa nova direção? Teremos que admitir que estragamos tudo por causa de um antigo ressentimento que vem de uma vida anterior? Essas antipatias ocorrem com freqüência, e é importante superá-las o mais depressa possível.

Superando as Dificuldades de Vidas Anteriores

Mais uma vez, podemos recorrer ao nosso conhecimento de lidar com os dramas de controle. Nesse caso o procedimento adequado é revelarmos os nossos sentimentos e dizermos à pessoa como nos sentimos quando estamos perto dela — lembrando-nos de apresentar esses sentimentos de maneira delicada e de estar abertos à possibilidade de estarmos equivocados. Creio que se pode usar o mesmo processo para lidar com súbitos sentimentos de antipatia para com outra pessoa; podemos pedir para conversar seriamente com ela, e então contar-lhe que temos uma reação incomum em relação a ela e que gostaríamos de estudar a origem dessa reação.

Lembre-se de que teremos que superar o impulso da antiga visão materialista do mundo que considera esse tipo de conversa constrangedor, embaraçoso ou até mesmo tolo. Uma alternativa seria simplesmente planejar novo encontro com a pessoa e tocar no assunto nessa ocasião. De qualquer maneira, a outra pessoa pode simplesmente não dar importância ao caso ou sentir-se pessoalmente ameaçada pela conversa e fechar-se em copas.

No entanto, para sustentarmos a consciência superior, e sabendo o que sabemos, precisamos dar prosseguimento à questão. Ao longo do tempo, esse tipo de conversa ficará mais fácil, à medida que mais pessoas atingem uma consciência do processo. Idealmente, quando duas pessoas exploram esses sentimentos, surgirão à tona imagens relevantes de uma vida anterior em comum, e a partir dessas idéias confessadamente vagas pode surgir um sentimento de perdão e um novo enfoque dos fatos em questão.

Segundo o dr. Weiss, a lembrança das vidas anteriores é acessada da mesma maneira que qualquer outra informação transcendental: voltando-nos para o nosso próprio interior. Podemos entrar em estado de meditação com a intenção e a oração de obtermos conhecimento sobre a origem dos nossos sentimentos; podemos meditar separadamente, mas acredito que a energia ampliada de um grupo — que pode ser formado pelas pessoas envolvidas, um conselheiro experiente ou membros de uma rede de apoio regular — aumenta a probabilidade de sucesso.

Sugiro que você comece fazendo o grupo afirmar que a situação da vida anterior pode ser recordada. Então o grupo poderá entregar-se a uma meditação silenciosa, depois da qual cada pessoa poderá discutir as imagens e lembranças que tiverem aflorado. É da maior importância que todas as pessoas revelem o que ocorreu com total honestidade, sem tentar confirmar as imagens das outras pessoas.

Na maioria dos casos, emergirá um consenso a respeito dos relacionamentos em outras vidas das pessoas envolvidas. Se uma ou ambas sentirem que foram prejudicadas durante a vida anterior, então — mais uma vez — a única maneira de resolver isso são pedidos de desculpas e o perdão. Somente nesse ponto duas pessoas podem passar a compreender por que seus caminhos se cruzaram no presente: foi simplesmente para resolver aqueles sentimentos antigos? Ou foi para transmitir uma mensagem especial nessa ocasião e nesse lugar? Ou o encontro se deu para que elas iniciem uma relação que funcione a longo prazo, uma espécie qualquer de missão conjunta?

Juntos Novamente

E quanto a esses sentimentos inexplicáveis que temos por certas pessoas e que são positivos? Trata-se de uma sensação de amor que logo nos vem quando conhecemos uma pessoa, ou a sensação de que alguém nos parece familiar.

Podemos estar em qualquer lugar quando de repente uma pessoa olha de relance para o nosso lado; de imediato achamos que ela parece familiar, como se a conhecêssemos, mas não nos lembrássemos de onde. Alguma coisa sobre a sua fisionomia, ou talvez apenas o sentimento da sua presença, nos parece perfeita. Se uma conversa se desenvolver, é freqüente percebermos que estamos no mesmo comprimento de onda. As palavras vêm com facilidade e a compreensão é imediata.

Mais uma vez, um dos maiores desafios da humanidade é desligar da sexualidade a interpretação dessa experiência e levá-la para o reino do puramente espiritual, especialmente entre homens e mulheres. Devemos expandir a nossa consciência para superarmos as ilusões da co-dependência e podermos buscar as mensagens sincronísticas que dizem respeito à missão da nossa vida.

O Efeito das Informações Sobre o Além

Como vimos, quanto mais coisas descobrirmos sobre a dimensão do além, mais a nossa vida terrena ficará iluminada. Sabemos que cada momento sincronístico, cada encontro com outro ser humano tem implicações muito além do comum. Todos nós nascemos com uma missão, e cada vez que somos guiados para o lugar exato, ou que recebemos a informação certa, ou exaltamos alguém no momento adequado, temos a sensação de cumprir um destino, porque uma parte de nós recorda que isso estava fadado a acontecer.

A questão que se sobrepõe é até onde vai a nossa conscientização desses momentos. Agora mesmo — pois neste ponto da nossa caminhada estamos prestes a recordar tudo: quem somos nós como seres espirituais, como viemos parar aqui e aonde estamos pretendendo ir no futuro.

12

Visualizando o Destino Humano

Acredito que, À medida que cada vez mais informações a respeito da vida no Além chegam à atenção do público, nossa compreensão da História e do destino da humanidade irá mudar drasticamente. Se cada um de nós nasce neste mundo com uma missão, isso significa que todos que já viveram estiveram aqui em missão, e tudo que aconteceu foi em obediência a um propósito superior.

Aliás, acredito que com essa nova consciência já podemos sentir toda uma nova História em formação sobre o que aconteceu nesta dimensão. Podemos sentir essa História porque, na realidade, o que estamos fazendo é recordar essa grande seqüência de acontecimentos.

Quando o universo surgiu numa explosão, éramos um aspecto do que estava acontecendo. Vivemos nas primeiras estrelas enquanto elas gravitavam para perto umas das outras, criavam os padrões básicos de energia elemental e os dispersavam por todo o espaço.

A nossa intenção juntou-se ao divino, enquanto o Sol e outros planetas formavam o nosso sistema solar, criando o ambiente perfeito para a vida na Terra: fomos os primeiros aminoácidos que evoluíram para plantas unicelulares e mais tarde para animais; éramos as plantas que pela primeira vez liberavam oxigênio livre na atmosfera; como organismos multicelulares, e depois como peixes, nadamos nos oceanos; fomos nós quem ansiamos por romper os limites das águas, comemorando quando saltamos para a forma de anfíbios e pela primeira vez rastejamos pelo chão; e fomos parte da consciência maior que se movia através dos répteis e mamíferos e finalmente para a nossa própria espécie.

Daí a História prossegue, enquanto a nossa alma participava pacientemente de milhares de encarnações que passaram antes que os seres humanos adquirissem os primeiros lampejos de uma consciência própria. Lentamente despertamos e nos tornamos cônscios de que estávamos vivos na Terra e um dia morreríamos. Ao contrário dos outros animais, tínhamos a necessidade de saber por que estávamos aqui. Qual era o nosso propósito?

Uma História Espiritual

No momento em que fizemos essa pergunta pela primeira vez, a evolução entrou num novo cenário: o lento progresso da realidade humana em direção à verdade de quem somos e daquilo que deveríamos estar fazendo. Em seu início, a humanidade criou uma rica mitologia tentando explicar a nossa existência e a nossa presença neste mundo; no entanto, desde o início carecíamos de energia, e passamos a manipular e dominar uns aos outros, começando pelo uso da força bruta.

Hoje podemos perceber que a evolução tinha um propósito oculto para essa brutalidade: a disseminação de novas idéias. Os primeiros seres humanos sentiram logo de início o impulso de conquistar e unificar, forçando os outros a adotar seu ponto de vista. Os seres humanos mais fortes dominavam e ganhavam a obediência e o respeito dos outros, e, num processo de lenta unificação, esses indivíduos mais fortes e seus seguidores conquistaram territórios e populações cada vez maiores, impondo novas filosofias de vida —

sendo eles mesmos conquistados posteriormente e obrigados a adotar outros valores e outras crenças.

Pela perspectiva do Além, tudo isso foi simplesmente o melhor que podíamos fazer naquelas circunstâncias. Acredito que cada um de nós consegue intuir que viemos para este planeta muitas vezes durante toda essa evolução. E cada vez que viemos, seguindo a nossa Visão do Nascimento, a intenção era fazer tudo que pudéssemos para afastar a humanidade do barbarismo da guerra e introduzir um meio mais civilizado de unificar e discernir a verdade.

A princípio essa verdade mais elevada disseminou-se muito lentamente, porque nos primeiros anos era imensa a distância entre o que sabíamos do Além e aquilo que podíamos vivenciar na Terra. Cada vez que nascíamos, lutávamos para superar as convenções das culturas em que nascíamos, nos esforçávamos para recordar a verdade que deveríamos trazer para o mundo. Aos poucos, no entanto, os esforços civilizadores de grupos de seres humanos inspirados começaram a dar frutos. No Oriente Médio, as tribos judaicas criaram uma rica simbologia baseada na idéia de um Deus único, e essa idéia de um único criador, uma fonte paternal compartilhada por todos, espalhou-se lentamente por grande parte do hemisfério ocidental.

Partindo do Oriente, começou a espalhar-se uma compreensão semelhante — de que cada um de nós compartilhava uma unidade comum com a inteligência absoluta, ou a Divindade. Essa idéia criou um salto na unificação: em vez de pensarmos que somos sustentados por um deus local que competia com os deuses dos nossos inimigos, começou a aflorar a consciência de que todos os seres humanos são em sua essência parte da mesma força criadora.

Trazendo a Evolução para o Nível Consciente

No ano 600 a.C, na Grécia, outra grande verdade estava sendo trazida ao mundo: a idéia de que, em lugar de usar a força bruta, nós podíamos nos relacionar de uma maneira democrática. Através do trabalho de centenas de indivíduos, essa idéia começou a espalhar-se lentamente na Roma antiga, e uma idéia nova e revolucionária chegou ao mundo: em lugar de impulsionar a evolução e os negócios humanos através do domínio material, poderíamos debater os méritos de determinados pontos de vista — e a realidade passou a poder evoluir através de uma progressão de idéias melhores.

Nos séculos que se seguiram, outros visionários — tais como Lao-tzu, Buda e Jesus — começaram a esclarecer a natureza da fonte espiritual de que todos nós compartilhávamos. Jesus declarou que o reino de Deus não ficava em algum lugar fora de nós, mas dentro. E, de um modo limitado, essa idéia foi incorporada à vida cultural tanto do budismo e do taoísmo — que evoluíam no Oriente — quanto do cristianismo, no Ocidente.

Enquanto isso, os seres humanos continuavam a formar grupos cada vez maiores, e a nossa identificação e aliança com outras pessoas crescia de pequenos bandos ou pequenas aldeias para regiões maiores, e então para uma consciência de nações específicas com fronteiras bem delimitadas. Finalmente, começando no Ocidente durante a Renascença, milhares de indivíduos redescobriram os valores democráticos da Antiguidade e começaram a enfatizar a dignidade humana e os direitos humanos básicos.

Muitas nações substituíram a idéia do direito divino dos reis pelo sistema da democracia popular. Entre as revoluções seculares da época, os Estados Unidos foram formados como uma idéia visionária, mas ainda incompleta, de um país onde os seres humanos fossem livres para seguir seus sonhos mais profundos.

Como vimos nos capítulos anteriores, a ciência foi criada no mesmo espírito de idealismo, e foi colocada no lugar das caprichosas superstições da época. Como a ciência não conseguiu fornecer uma imagem nova da situação espiritual da humanidade, prevaleceu um enfoque obsessivo na segurança externa, materialista.

As culturas do Oriente, nesse ínterim, continuavam a explorar o mundo interior da experiência espiritual e buscavam alcançar a segurança interior. Mesmo assim a comunicação de idéias prosseguia, impulsionando ainda mais a nossa evolução social.

No início do século XX, numerosas pessoas, seguindo inconscientemente a sua Visão do Nascimento, despertavam para as novas verdades. A descrição mecanicista do universo feita por Newton começou a ser substituída pelo ponto de vista de Einstein e dos físicos quânticos. Outras pessoas inspiradas começaram a rebelar-se contra os extremos da obsessão econômica — desmanchando cartéis e monopólios nos Estados Unidos, criando parques e florestas protegidos, colocando-se contra o imperialismo e em pequena escala começando a proteger as culturas humanas mais diversas em todo o mundo.

Em meados do século, milhões de pessoas tinham respondido à idéia de que a construção de impérios através da força tinha que terminar, passando por duas guerras mundiais e uma longa guerra fria antes de finalmente implementarem um consenso para a proteção dos direitos de soberania dos povos e de suas fronteiras nacionais. Através do trabalho de inúmeras pessoas, a idéia de uma organização como a das Nações Unidas tornou-se realidade, marcando a primeira vez que a consciência humana ampliou-se para incluir todos os povos da Terra.

Nas décadas recentes, começou a emergir uma nova compreensão do universo humano. A nova física descreve o nosso mundo em termos de dinâmica energética e interligações misteriosas; outros cientistas começaram a explorar toda a gama de experiência humana em potencial, inclusive o mistério da sincronicidade, as profundezas da nossa intuição e os poderes da nossa intenção.

Neste momento, por causa das verdades que milhões de seres humanos lentamente trouxeram para o mundo, nós estamos nos tornando cônscios do quadro total da nossa evolução. Seguindo inconscientemente sua Visão do Nascimento, cada geração através da História tem servido para fazer evoluir a realidade humana com um objetivo, aproximando-nos cada vez mais da consciência espiritual que já existe na dimensão do Além. Passo a passo, estamos tomando consciência de que somos seres espirituais evoluindo devagar para uma realidade espiritual neste planeta.

Enfrentando a Radicalização

O fato de estarmos criando uma cultura espiritual não significa que o trabalho tenha terminado; até certo ponto, ainda estamos naquela terra-de-ninguém onde a antiga visão do mundo perdeu sua capacidade de nos inspirar inteiramente, mas o paradigma hoje reinante ainda não conseguiu ser totalmente aceito. Aliás, nas décadas recentes, testemunhamos uma extrema radicalização de forças entre aqueles que promovem a mudança e aqueles que resistem a ela. Nos Estados Unidos, a energia desse conflito está crescendo, à medida que ambos os lados percebem que o desfecho será decisivo para o nosso futuro.

Enfrentando o ruído crescente do que alguns chamam de guerra cultural, a opinião pública tem oscilado entre os dois extremos. Na década de 80, parecia que aqueles que defendiam a antiga visão do mundo tinham vencido, prevalecendo a idéia de que devíamos voltar para as realidades e os valores de outrora no que se referia ao trabalho, à família e ao progresso econômico. Essas pessoas achavam que os problemas na nossa cultura vinham diretamente da influência do movimento do potencial humano, cujas idéias liberais resultaram no crescimento da intervenção governamental, déficits orçamentários inaceitáveis, enfraquecimento das distinções entre homens e mulheres, leniência para com o crime e uma tendência generalizada de culpar a sociedade por seus problemas.

Outras pessoas argumentavam que não haveria déficits federais se bilhões de dólares não fossem gastos em subsídios a empresas e em benefício de certos grupos, catalogando uma série de abusos: subsídios federais num total de 7,5 bilhões de dólares para mercadores de armas venderem sua mercadoria em outros continentes; um bilhão de dólares para grandes corporações como a Continental Grain e Cargill, Inc. para que forneçam transporte gratuito de trigo, milho e outras mercadorias; 700 milhões para a derrubada, o corte, a venda e o transporte de madeira abaixo do custo, com subsídios para as madeireiras que desmatam florestas nacionais. A lista prossegue.[1]

Os potencialistas — seguidores do movimento de potencial humano — insistiam em afirmar que os problemas dos Estados Unidos vinham dos excessos do antigo enfoque econômico: a poluição descontrolada, a falta de ética nos negócios, a corrupção organizada no governo, o fracasso em educar todo o nosso povo e um compromisso limitado em intervir nas áreas de pobreza e criminalidade cíclicas.

No mais recente movimento do pêndulo, que em 1994 instalou um Congresso republicano em Washington, o público aceitou o argumento conservador de que os orçamentos do governo estavam fora de controle, o crime e a imoralidade pública estavam aumentando e o governo deveria ser restringido e substituído por um enfoque na integridade pessoal.

Mas então as pessoas começaram a perceber incoerências da parte da maioria republicana, que prometera implementar reformas. Diante dos nossos olhos, o partido começou a voltar aos seus antigos hábitos — proteger os subsídios às grandes empresas em vez de baixar o orçamento com justiça. E em lugar de fazer da proteção ambiental uma prioridade, um republicano, antigo exterminador de animais daninhos no Texas, propôs que algumas partes da Lei da Água Limpa fossem vetadas. Isso aconteceu numa ocasião em que a maior parte do público ouvia falar da poluição crescente em nossos rios e oceanos. Para cumular tudo isso, uma cláusula de reciclagem foi acrescentada a uma lei popular, permitindo que grandes madeireiras cortassem árvores centenárias em nossas florestas nacionais.

Por causa desses abusos, o pêndulo parece estar se movendo outra vez, à medida que o povo fica cada vez mais frustrado e cínico em relação à política. Enquanto isso, muitas pessoas presas na terra-de-ninguém, entre a antiga visão do mundo e a nova, estão ficando cada vez mais perdidas e frustradas, muitas vezes tomando atitudes impensadas de desespero. A violência explode todos os dias em nossas ruas e nossas casas. Terroristas e extremistas antigovernistas lutam enlouquecidas guerras imaginárias.

Em certos aspectos, trata-se da inevitável escuridão antes do amanhecer. No entanto, acredito que, do ponto de vista da nova consciência, o nosso rumo está claramente demarcado.

Percebendo a Nova Visão do Mundo

Assim como podemos nos introverter e recordar a nossa Visão do Nascimento, podemos retornar àquele lugar de sabedoria e recordar a intenção maior que motivou a História. Seja pela oração ou meditação, seja por meio de caminhadas através da energia de um local sagrado e intocado, podemos recordar a Visão do Mundo compartilhada, uma visão do futuro mundo humano para cuja criação estamos nos movimentando.

Acredito que sempre soubemos que este momento chegaria: a ocasião em que pudéssemos trazer plenamente à consciência o nosso objetivo evolucionário e então todos passassem a trabalhar juntos em plena consciência para o atingirmos. Acredito que o primeiro acontecimento que virmos em nossa visão será uma grande onda crescendo neste momento da História, impulsionada para a frente por indivíduos que conseguem ver um futuro positivo.

Mais ainda: podemos distinguir o primeiro curso de ação — sanar a divisão de opiniões que bloqueia a continuidade da nossa evolução — e como, precisamente, conseguir isso. Se estudarmos a situação do ponto de vista da nossa nova consciência espiritual, veremos que, embora algumas pessoas se oponham à construção de uma cultura espiritual na Terra por causa do medo, a maioria o faz por causa de uma intuição profunda de que muitos valores importantes da antiga visão do mundo correm o risco de se perder durante a transição.

Parece que essas pessoas temem que, em nossos esforços para liberar o potencial humano, os governos centralizados em todo o mundo recebam demasiado poder, e que estejamos perdendo valores importantes da iniciativa pessoal, da capacidade de contar consigo mesmo e da responsabilidade. E devemos partir do princípio de que ao exprimir essa preocupação elas estejam exprimindo a verdade da sua Visão do Nascimento. Vemos, então, que, para resolver o problema da radicalização, temos que começar a incorporar as melhores idéias das duas maneiras de pensar.

Vemos também, creio eu, que isso pode ocorrer à medida que a onda da nova consciência comece a afetar as forças políticas alinhadas de um lado ou de outro. Bancos de idéias, organizações de notícias e os próprios políticos irão encontrar para essas questões um ponto de vista mais evoluído. O orçamento nacional, por exemplo: não se trata apenas de déficits, mas também de apropriações indébitas, atividades corruptas e isenções de impostos beneficiando interesses especiais às custas do bem público.

Esses problemas podem ser resolvidos rapidamente se todos os políticos se empenharem e se divorciarem dos interesses especiais que buscam privilégios injustos. Creio que seria necessário apenas que uma leva de estadistas respeitados, talvez aposentados, dessem entrevistas semanais — revelando nomes, denunciando casos de legislação injusta — para mudar o sentimento público. Os republicanos precisam parar de dar boa vida a empresas e a grupos de seus eleitores; os democratas precisam vasculhar o labirinto dos sistemas de seguridade social, inclusive o dinheiro dado a idosos ricos, e manter apenas o que é genuinamente justo.

E o resto da sociedade humana? Mais uma vez, a sincronicidade tem levado milhões de indivíduos inspirados pela nova consciência a tomar precisamente a posição certa para cumprir sua missão, e agora podemos ter a visão maior daquilo que queremos que aconteça. Os heróis já estão em seus lugares — e os heróis somos nós. De repente vamos olhar para a nossa profissão, o nosso escritório, o nosso emprego, e dizer: este lugar não está funcionando de maneira a alcançar seu objetivo mais elevado.

Ou então vamos contemplar um problema social e pensar: isto não está certo, alguém tinha que fazer alguma coisa. Nesse momento perceberemos aquilo que queremos que aconteça, aquilo que a nossa Visão do Mundo torna claro. Em tais casos, a pessoa que deve fazer alguma coisa, que deve intervir, é você.

E como compreendemos a dinâmica da disputa de energia, essas intervenções podem ter lugar com menos hostilidade e mais cooperação inspirada. Às vezes, inesperadamente, encontramos outras pessoas que ali estão apenas para nos ajudar. Vamos até recordar que planejamos juntos, antes de nascermos, vir para esse lugar e reformular determinada situação ou instituição.

Assim todos nós podemos recordar, de um modo mais elevado, aquilo que pretendíamos fazer nessa fase da História para que haja uma grande onda de ações inspiradas que varrerá o planeta, sanando todos os problemas atuais do mundo.

Superando a Miséria e a Fome do Mundo

A nossa onda de intervenções na pobreza e na fome ganhará vulto, incorporando duas verdades importantes. Os defensores do antigo paradigma vêm há muito insistindo que esses problemas não podem ser resolvidos pelos burocratas materialistas usando uma fórmula abstrata; na opinião deles, tudo que acontece durante esse tipo de intervenção é uma dependência crescente das esmolas que o governo dá aos carentes. No entanto, muitas vezes esses defensores do antigo paradigma usaram esse argumento como desculpa para não fazer coisa alguma.

Agora, no entanto, acredito que possamos ver que os proponentes do antigo paradigma estão corretos ao enfatizar a responsabilidade pessoal, mas os potencialistas também estão corretos ao intuir que existe um meio de ajudar. Acredito que agora a nossa visão superior nos revele o que podemos fazer.

A solução para os ciclos de pobreza nas famílias é intervir de modo pessoal. Os programas governamentais jamais funcionarão como algo mais que uma rede de segurança. Centenas de milhares de nós estarão na posição de ajudar uma família que se encontre em situação de miséria. As organizações de voluntários, tais como os Big Brothers e as Big Sisters, assim como os grupos dedicados a acabar com a fome no mundo crescerão, mas o maior voluntariado virá espontaneamente de um vizinho que fará amizade com uma criança ou inspirará uma família. Trata-se de uma verdade agora emergindo à consciência, e a recente ênfase no voluntariado, liderada pelo General Colin Powell e dois ex-presidentes, está apenas começando.[2]

A pobreza, onde quer que ela ocorra no mundo, é uma situação movida pelo medo, a falta de educação e a omissão em aproveitar as oportunidades que se apresentam. A solução é as pessoas que vivem sincronisticamente intervirem pessoalmente junto àquelas que estão presas a padrões derrotistas. Somente através da interação, podemos construir um modo novo de viver que possa ser aplicado à situação dos membros de uma família que vive na miséria.

Lembre-se: neste nosso universo conectado, temos o potencial de compartilhar nossas mentes, e a nossa nova consciência transfere-se virtualmente por contágio. Todos os seres humanos, não importa a sua situação, podem descobrir a sincronicidade, ligar-se a uma energia interior divina, terminar com padrões repetitivos e libertar-se para encontrar sua própria jornada milagrosa para o futuro.

A Prevenção da Criminalidade

O problema do crime é mais difícil, mas ele irá reagir exatamente da mesma maneira se agregarmos o que houver de melhor em outro conjunto de crenças diferentes. Nos Estados Unidos, há 40 anos, a criminalidade era combatida com tolerância zero; a população de rua era recolhida e presa por vadiagem, e a polícia tinha literalmente poder absoluto. Foi o trabalho daqueles que acreditavam nos direitos humanos que reformulou esse sistema para que ele funcionasse mais de acordo com a Constituição. No entanto, aqueles que defendem o antigo paradigma costumam pensar que a ênfase dada nos últimos 30 anos aos direitos dos acusados, à gênese social da criminalidade e à necessidade da reabilitação minou o cumprimento da lei e levará à explosão dos níveis da criminalidade.

Acredito que o que podemos ver agora é que essa crença está correta em parte: a ênfase na intervenção social pela burocracia provocou, realmente, uma baixa de padrões, especialmente quando prisões superlotadas e juízes solidários levaram à diminuição das penas e a uma leniência exagerada. A mensagem na rua era de que o crime — de colarinho branco ou não — não era levado a sério, e era até desculpado. O que vemos agora — como provam as recentes abordagens de tolerância zero em muitas das nossas maiores cidades — é que uma intervenção eficaz deve ter por trás um padrão de amor severo que não tolerará qualquer violência ou crime.

Mas padrões rígidos por si não funcionam; os valores dos potencialistas devem ser aplicados também. A maioria dos programas recentes que tiveram bom resultado juntou uma postura mais firme e mais policiais comunitários trabalhando numa única área, travando conhecimento com as famílias e seus problemas, podendo, portanto, fazer uma prevenção eficaz.[3]

As abordagens atuais por parte dos agentes da lei são apenas o começo. Acredito que mais uma vez a nossa visão é lidar com o problema através de um grande número de pessoas esclarecidas seguindo sua própria sincronicidade. O policial da esquina não pode fazer tudo — e na maioria dos casos de crime, sejam premeditados ou resultado de ódio, alguém sabe que ele está prestes a acontecer, e esse alguém é a pessoa na melhor posição para agir. É claro que deve-se tomar cuidado com a segurança pessoal, e notificar um profissional no momento indicado, mas muitas vezes algumas palavras de incentivo ou uma sugestão no início do processo podem impedir que surja mais tarde uma situação extrema. Novamente, tudo isso ocorrerá no fluxo da sincronicidade, e um número ainda maior de pessoas responderá à chamada.

Protegendo o Meio Ambiente

De modo semelhante vamos sanar os problemas ambientais do mundo. Ondas de pessoas inspiradas irão perceber de repente que estão exatamente na posição certa para fazerem alguma coisa.

A poluição do ar e da água continua piorando, à medida que toneladas de produtos químicos tóxicos são despejadas no meio ambiente a cada ano. Além disso, a indústria está constantemente inventando novos produtos químicos e introduzindo-os na biosfera com pouca ou nenhuma regulamentação; grande parte desses produtos é usada no suprimento mundial de alimentos como pesticidas e herbicidas.[4]

O problema é tão grave, que a American Medical Association advertiu as mulheres grávidas e as crianças para não ingerirem verduras produzidas em massa nos Estados Unidos.[5] O dr. Andrew Weil, que está rapidamente se tornando um porta-voz nacional dos médicos, adverte contra a ingestão de crustáceos e peixes do fundo do oceano, porque esses animais têm no corpo muitos produtos químicos tóxicos, e recomenda também que se comprem apenas alimentos produzidos organicamente. Ele avisa que muitos produtos químicos não testados, quando combinados entre si, tornam-se mais tóxicos do que jamais se imaginou.[6] É a única atitude prudente num mundo em que as taxas de câncer estão crescendo inexplicavelmente.

A poluição do nosso meio ambiente, especialmente os dejetos ilegais e o uso indiscriminado de produtos químicos não-testados, é sempre perpetrada por apenas umas poucas pessoas em posição de autoridade; à medida que a onda da nova consciência espiritual penetre na sociedade, essas atitudes serão cada vez mais vigiadas e alguma pessoa inspirada irá dar o alarme. Os dejetos ilegais, por exemplo, acontecem sempre em algum lugar específico na beira do mar ou em nossos rios e esgotos. À medida que cada vez mais pessoas são guiadas pela sincronicidade, elas terão a inspiração de vigiar cada centímetro de litoral ou margem de rio; se os dejetos forem lançados na calada da noite, alguém estará lá — seguindo sua intuição e pronto para dar o alarme. Desse modo, legiões de cidadãos inspirados, armados com câmeras de vídeo, irão levar esse ato de poluição à atenção pública.

Salvando as Florestas

Um dos crimes mais trágicos contra o nosso planeta é o desmatamento. Apenas do ponto de vista ambiental, considerando o papel das florestas para produzir o oxigênio do mundo, a situação é alarmante; mas outros perigos e prejuízos monumentais nascem dessa destruição. Os seres humanos continuam a migrar para as cidades e para os subúrbios de concreto, despidos da energia mágica da natureza. Especialmente nos Estados Unidos, as áreas selvagens estão sendo continuamente destruídas pelo progresso e pela corrupção.

A maioria dos cidadãos norte-americanos não percebe que as empresas madeireiras e mineradoras estão sendo subsidiadas pelos impostos desses mesmos cidadãos para destruir as florestas das nossas terras públicas. Não apenas o Serviço Florestal usa verbas públicas para construir estradas em algumas das últimas áreas selvagens remanescentes, criando um subsídio para enormes corporações multinacionais, mas também vende madeira e minério a preços abaixo do mercado. As empresas madeireiras são famosas por seus anúncios sentimentais afirmando estarem cuidando das nossas florestas e plantando mais árvores do que abatem; na verdade elas estão derrubando as antigas florestas centenárias, com sua rica diversidade de plantas, animais e energia, e substituindo-as por fileiras estéreis de pinheiros, criando uma lavoura, não uma floresta. Outro problema é o roubo de madeira por empresas que cortam mais madeira do que a quantidade que é vendida e deixam até de pagar pela concessão original.[7] Muitas vezes os administradores do Serviço Florestal que se aposentam são contratados pelas mesmas companhias que eles costumavam fiscalizar, criando uma atitude de coleguismo e omissão por parte do Serviço Florestal.

Felizmente podemos detectar as camadas de corrupção governamental que perpetuam essa desonestidade. E podemos discernir a solução: uma leva de cidadãos preocupados defendendo o fim dessa corrupção e apoiando reformas na legislação e nas organizações. Quando um número suficiente de pessoas souber que essa corrupção está acontecendo, ela terá fim rapidamente.

A Guerra e o Terrorismo

E o problema mundial das guerrilhas localizadas e do terrorismo? Como vimos na Bósnia e em outros lugares, os conflitos de longa duração são provocados pelo ódio religioso e étnico — e são sempre mantidos vivos por pessoas e pequenos grupos que são pessoalmente alienados e temerosos. Nesses casos, alguns usam sua obsessão com o conflito para afastar a ansiedade da morte e dar um sentido à vida. Outras atividades terroristas em todo o mundo são perpetradas exatamente pela mesma razão: os terroristas fazem parte de uma obsessão grupal com uma causa.

Acredito que podemos ver com a nossa Visão do Mundo que um dia a nossa nova consciência espiritual atingirá também esses indivíduos. Pessoas inspiradas se encontrarão e travarão conhecimento com aquelas na periferia de tais grupos separatistas e terroristas violentos, e aos poucos o nível mais elevado de energia influenciará amigos que conhecem pessoalmente aqueles no centro desses conflitos. Esses amigos descobrirão que sua missão maior é ajudar os terroristas a despertar e parar com a violência insensata.

Transformando a Cultura

A nossa Visão do Mundo não pára na intervenção nos nossos problemas sociais. A operação cotidiana de todo aspecto da vida humana será influenciada pela crescente leva de pessoas vivendo a nova consciência. A economia vai começar a se transformar à medida que introduzirmos o pagamento do dízimo para suplementar a renda normal; a atividade comercial continuará a progredir à medida que aqueles pequenos empresários passarem a tomar suas decisões de acordo com um nível mais ideal de atuação.

O capitalismo mostrou-se o sistema econômico humano mais funcional. Por quê? Porque ele é orientado para suprir as necessidades dos seres humanos, e porque permite um influxo constante de novas informações e nova tecnologia aproveitadas de maneira cada vez mais produtiva, modificando-se e mudando em resposta à nossa consciência. Em suma: ele evolui.

A corrupção do capitalismo ocorre quando as pessoas são vulneráveis à propaganda excessiva que procura criar necessidades baseadas na insegurança, ou quando a operação do mercado deixa de proteger adequadamente os consumidores ou o meio ambiente. Idealmente, esses problemas serão resolvidos se os empresários priorizarem verdadeiramente as necessidades humanas em lugar da maximização de seus lucros. Acredito que podemos nos ver caminhando na direção desse ideal. Por causa da crescente consciência espiritual dos empresários, e porque eles se acham idealmente localizados para conseguirem algum efeito, cada vez mais pessoas estão começando a se considerar a serviço de uma visão do futuro mais elevada.

Em parte, essa mudança está ocorrendo numa época em que a ética nos negócios parece ter atingido o fundo do poço, e quando as empresas pensam apenas nos lucros a curto prazo. Mas a nossa consciência crescente dessa venalidade está nos provocando um choque que nos levará a agir. A opinião pública forçará o pêndulo dos negócios na direção oposta; as empresas que realmente levam em conta o meio ambiente e as necessidades do consumidor serão favorecidas. E lentamente, por causa da nossa consciência cada vez maior da direção em que a evolução humana está nos levando, as empresas irão novamente pensar a longo prazo.

A obsolescência planejada (a prática de criar produtos que se estragarão depois de algum tempo) será substituída por uma ética de fabricar produtos que durarão toda a vida, ao custo mais baixo possível — porque, mais uma vez, a nossa evolução está nos levando na direção de uma economia em que as nossas necessidades materiais serão um dia inteiramente automatizadas e disponíveis sem custo, levando o nosso enfoque para a troca de informações espirituais.

Naturalmente, como já observamos, para tornar tudo isso possível precisamos descobrir uma fonte de energia barata e renovável, e novos materiais que sejam baratos e duráveis. Segundo vários cientistas, parece que estamos mais perto de aperfeiçoar a fusão a frio; embora em torno dessa descoberta ainda haja guerras de opinião (parece que a fusão a frio funciona de um modo que desafia as nossas teorias físicas mais antigas), acredito que a nossa intuição esteja nos dizendo que um dia encontraremos uma fonte de energia ilimitada e renovável.

Certamente, várias empresas, profundamente comprometidas com a produção de petróleo e gás, combaterão o seu desenvolvimento. Mas a leva de pessoas inspiradas que trabalharão para implementar a verdade será irresistível. Os cientistas descobrirão que essa é exatamente a área que dará mais sentido e propósito à sua vida, e os jornalistas atentos levarão essa informação ao público antes que ela possa ser suprimida.

Ocupações e Profissões

A nossa Visão do Mundo nos mostra, creio, que todas as ocupações e profissões serão transformadas também. Já em muitas áreas da sociedade humana, estão sendo criadas associações de reforma para fiscalizar os padrões éticos. Dentro da profissão médica, por exemplo, as associações de profissionais estão trabalhando para promover técnicas de prevenção destinadas a combater a doença antes que ela se instale, em vez de simplesmente reagir com drogas e cirurgias às vezes desnecessárias.[8]

Reformas similares estão acontecendo na advocacia. Os advogados estão na posição ideal para ajudar a resolver conflitos entre as pessoas, e fornecer soluções justas para os problemas; infelizmente o público tem experiência da atitude exatamente oposta por parte da maioria dos advogados, que muitas vezes pioram a situação, recorrem aos tribunais sem necessidade, e aumentam as dificuldades entre as pessoas — apenas para ganhar mais dinheiro; poucas profissões são tão desacreditadas. No entanto, existem associações de advogados dedicadas a moralizar essas práticas e a levar a profissão a um nível de funcionamento melhor.[9]

Desse modo, todas as profissões e ocupações começarão a mudar. Os contadores se tornarão professores cada vez mais eficientes de gerenciamento financeiro. Os fazendeiros, tanto pessoas quanto empresas, irão cultivar alimentos organicamente, de maneira a preservar o solo, aumentar o teor de vitaminas e minerais de seus produtos e deixá-los livres dos resíduos dos pesticidas químicos. Os donos de restaurante irão servir apenas esse alimento limpo e altamente energético, preservando seu valor nutricional. Os jornalistas abandonarão o sensacionalismo e buscarão uma visão objetiva, com uma base espiritual. E os construtores e incorporadores começarão a preservar as últimas áreas naturais restantes e a reflorestar outras áreas. Nós todos desejaremos viver o mais próximos possível das áreas selvagens altamente energéticas e dispor, cada vez mais, de parques e áreas verdes em torno dos nossos centros de compras. No final, cada instituição irá evoluir na direção de melhor servir, manifestando em toda parte a nova consciência espiritual.

Mesclando as Dimensões

Acredito que a nossa Visão do Mundo nos mostre que os seres humanos continuarão a elevar o nível de sua energia pessoal. Durante a evolução das práticas e dos objetivos das nossas empresas e da transformação dos nosso papel profissional ou ocupacional, seremos orientados em nosso caminho por momentos sincronísticos, enchendo-nos de inspiração e energia em níveis cada vez mais altos.

À medida que um número maior de pessoas aumenta o nível da sua energia, esse nível passará a ser padrão na cultura, e a duração da vida irá começar a aumentar drasticamente. Enquanto trabalhamos para estabilizar os níveis da população mundial, casais inspirados irão deixar de ter seus próprios filhos para adotar crianças órfãs de várias partes do mundo.

Ao longo do tempo, teremos gradualmente automatizado as nossas necessidades de sobrevivência, reflorestado as florestas destruídas e devolvido grande parte das terras para a vida selvagem. Viveremos em casas infinitamente duráveis e dotadas de energia inexaurível. Nesse ponto, a nossa missão crescerá espiritualmente e enfocará o aumento da própria energia. Então os momentos sincronísticos serão ainda mais inspiradores, enquanto nos encontrarmos em alguma alameda sombreada por árvores ou debaixo de um carvalho de 500 anos de idade ao lado de um regato. Novamente, esses encontros ocorrerão no momento exato para que a nossa vida evolua para um nível de energia mais elevado.

Ao mesmo tempo, serão intensificados os contatos com anjos e com entes queridos já no Além, completando uma tendência já existente.[10] A morte será encarada como uma transição para uma dimensão que será cada vez mais familiar e não-ameaçadora. Os padrões de energia quântica do nosso corpo começarão a ganhar níveis cada vez mais altos, e um dia nos encontraremos numa forma puramente espiritual. Ainda estaremos onde estamos, novamente junto ao regato ou sob o velho carvalho, mas conseguiremos ver o nosso corpo como ele sempre foi: pura luz.

Acredito que nesse ponto, finalmente, iluminados pela nossa Visão do Mundo, possamos ver o propósito completo da histórica jornada da vida na Terra. Como aspectos da consciência divina, viemos para cá para lentamente manifestar a consciência espiritual do Além nesta dimensão. Da Grande Explosão até os complexos átomos e moléculas orgânicos, de plantas unicelulares até animais e seres humanos, nós evoluímos. Através do trabalho de milhares de gerações e milhões de indivíduos suficientemente corajosos para transmitir suas verdades inspiradas, trabalhamos devagar para vivenciarmos uma consciência que conhecíamos, mas tínhamos que recordar enquanto em forma humana.

O nosso propósito principal tem sido elevar o nível da nossa energia até o ponto em que possamos entrar na dimensão do Além, essencialmente fundindo as duas dimensões numa só. Vai ser interessante ver que os anjos e as outras almas sempre estiveram lá, só que invisíveis, trabalhando incansavelmente para nos ajudar a atingir o nível de consciência que dissolve o véu.

Sustentando a Visão

Contemplando esses últimos dias do século XX, sabemos que ainda não chegamos ao nosso destino. Aliás, para muitas pessoas este livro parecerá utópico, senão imaginoso. As teorias e os temores da antiga visão materialista do mundo ainda nos afligem, anestesiando-nos com a ilusão de que nada tão mágico poderia estar acontecendo, atraindo-nos para a falsa segurança do ceticismo e da negação.

O nosso desafio, portanto, é colocar em ação a nossa consciência, manter a nossa fé. Como vimos, tudo que se alcançou na História foi por indivíduos heróicos abrindo caminho através de dificuldades muitas vezes esmagadoras. Hoje, no entanto, como nunca antes, estamos numa encruzilhada. Nos anos à frente, a ciência vai completar a sua redefinição do universo exterior e da nossa relação com ele, e ficará confirmada a espantosa extensão da nossa capacidade de criar.

Somos, em nossa essência, campos de intenção conscientes, e o que pensamos saber, o que acreditamos, é irradiado para fora, para todas as outras pessoas e para o cosmo, que quase sempre nos dá o futuro que imaginamos. À medida que aumenta a nossa consciência dessa capacidade, o nosso poder aumentará também, e as nossas decisões éticas terão mais força.

Na Terra do futuro, seremos capazes de realizar quase tudo que o nosso ego possa sonhar — e assim, como nunca antes, devemos ter cuidado com o que desejarmos. Precisamos vigiar os nossos pensamentos, pois as imagens negativas, como balas perdidas, partem para fazer o mal. Felizmente todos os grandes místicos da História, assim como as nossas Escrituras mais sagradas, nos advertiram à exaustão: temos que mergulhar no nosso interior até a nossa mais elevada sabedoria para mapear o nosso caminho na vida. Cada um de nós precisa encontrar sua própria confirmação de uma Visão do Nascimento que não vem de medo ou carência, mas de alguma parte maior da nossa memória.

Uma vez tendo encontrado essa visão, começa o excitante trabalho. Não apenas essa visão nos fortalece enquanto desempenhamos nossa missão individual, como também nos leva ao ponto mais elevado da nossa nova consciência espiritual — o ponto em que ela pode servir de base para tudo o que fazemos. Tudo o que temos que fazer para permanecermos centrados nessa consciência e vivenciá-la todos os dias é manter essa visão interior.

Antes de sairmos de casa, devemos encontrar o espaço, a postura espiritual, em que vivenciamos aquilo que conhecemos. O poder da fé é real; cada pensamento é uma oração, e se a visão da nova consciência espiritual residir no fundo da nossa mente todos os dias, a cada minuto, enquanto interagimos com o mundo, a magia da sincronicidade será acelerada para todos, e o destino que intuímos em nosso coração se tornará realidade.

Notas

PREFÁCIO

1. G. Celente, *Trends 2000* (Nova York: Warner, 1997).
2. N. Herbert, *Quantum Reality: Beyond the New Physics* (Nova York: Anchor/Doubleday, 1985).
3. F. Capra, *Turning Point* (Nova York: Bantam, 1987).
4. E. Becker, *The Denial of Death* (Nova York: Free Press, 1973).
5. W. James, *The Varieties of Religious Experience* (Nova York: Random House, 1994); C. Jung, *Modern Man in Search of a Soul* (Nova York: Harcourt Brace, 1955); H. D. Thoreau, *On Walden Pond* (Nova York: Borders Press, 1994); R. W. Emerson, *Complete Works* (Irvine, California: Reprint Services, 1992); A. Huxley, *Huxley and God* (San Francisco: HarperSanFrancisco, 1992); G. Leonard, *The Transformation* (Los Angeles: J. P. Tarcher, 1987); M. Murphy, *The Future of the Body* (Los Angeles: J. P. Tarcher, 1992); F. Capra, *The Tao of Physics* (Boulder, Colorado: Bantam, 1976); M. Ferguson, *The Aquarian Conspiracy* (Nova York: J. P. Tarcher/Putnam, 1980); L. Dossey, *Recovering the Soul* (Nova York: Bantam, 1989).

CAPÍTULO 1

1. J. C. Pearce, *Crack in the Cosmic Egg* (Nova York: Pocket, 1971).
2. N. O. Brown, *Life against Death* (Hanover, N. H: Wesleyan Univ. Press, 1985); A. Maslow, *Farther Reaches of Human Nature* (Nova York: Viking/Penguin, 1993); *Religions, Values and Peak Experiences* (Nova York: Viking/Penguin, 1994).
3. K. Horney, *Neurosis and Human Growth* (Nova York: W. W. Norton, 1993).

CAPÍTULO 2

1. I. Progoff, Jung: *Synchronicity and Human Destiny* (Nova York: Julian Press, 1993).
2. C. Jung, *Synchronicity* (Nova York: Bollingen/Princeton Univ. Press, 1960).
3. F. D. Peat, *Synchronicity: The Bridge between Matter and Mind* (Nova York: Bantam, 1987).
4. M. A. Carskadon, editor, *Encyclopedia of Sleep and Dreaming* (Nova York: Macmillan, 1993).
5. A. Robbins, ... *with Deepak Chopra*, entrevista gravada, Guthy-Renker, 1993.
6. E. Becker, *Escape from Evil* (Nova York: Free Press, 1985).

CAPÍTULO 3

1. E. Becker, *The Structure of Evil* (Nova York: George Braziller, 1968).
2. T. Cahill, *How the Irish Saved Civilization* (Nova York: Anchor/Doubleday, 1995).
3. A. Koestler, *The Sleepwalkers* (Nova York: Grosset & Dunlap, 1963).
4. F. Capra, *Turning Point* (Nova York: Bantam, 1987).
5. E. Becker, *The Denial of Death* (Nova York: Free Press, 1973).

CAPÍTULO 4

1. T. S. Kuhn, *The Structure of Scientific Revolutions* (Chicago, University of Chicago Press, 1970).
2. F. Capra, *The Tao of Physics* (Boulder, Colorado: Bantam, 1976).
3. M. Kaku e J. Trainen, *Beyond Einstein* (Nova York: Bantam, 1987).
4. N. Herbert, *Quantum Reality: Beyond the New Physics* (Nova York: Anchor/Doubleday, 1985).
5. M. Kaku, *Hyperspace* (Nova York: Oxford University Press, 1994).
6. Herbert, *Quantum Reality.*
7. Ibid.
8. Kaku, *Hyperspace.*
9. R. Leakey, *The Origin of Humankind* (Nova York: Basic Books/HarperCollins, 1994).

10. M. Murphy, *The Future of the Body* (Los Angeles: J. P. Tarcher, 1992).
11. F. Goble, *The Third Force* (Pasadena, Califórnia: Thomas Jefferson Center, 1970).
12. I. Progroff, *Jung: Synchronicity and Human Destiny* (Nova York: Julian Press, 1993).
13. R. D. Laing, *The Divided Self* (Nova York: Pantheon, 1969).
14. E. Berne, *Games People Play* (Nova York: Ballantine, 1985); T. Harris, *I'm OK / You're OK* (Nova York: HarperCollins, 1969).
15. P. Teilhard de Chardin, *The Phenomenon of Man* (San Bernardino, Califórnia: Borgo Press, 1994); Sri Aurobindo, *Major Works of Sri Aurobindo* (Lodi, Califórnia: Auromere, 1990).
16. *Biofeedback: A Source Guide* (Nova York: Gordon Press, 1991).
17. L. Dossey, *Healing Words* (Nova York: HarperCollins, 1993).
18. L. Dossey, *Recovering the Soul* (Nova York: Bantam, 1989).
19. Dossey, *Healing Words.*
20. Dossey, *Recovering the Soul.*
21. Ibid.
22. L. Dossey, *Be Careful What You Pray For, You Just Might Get It* (San Francisco: HarperSanFrancisco, 1997).

CAPÍTULO 5

1. R. D. Laing, *Self and Others* (Nova York: Pantheon, 1970).
2. E. Berne, *Games People Play* (Nova York: Ballantine, 1985).
3. J. Q. Wilson e R. J. Herrnstein, *Crime and Human Nature: The Definitive Study of the Causes of Crime* (Nova York: Touchstone/Simon & Schuster, 1985).
4. J. Hillman, *We Had a Hundred Years of Psychotherapy — and the World's Getting Worse* (San Francisco: HarperSanFrancisco, 1992).

CAPÍTULO 6

1. C. Jung, *Psychology and Religion* (New Haven, Connecticut: Yale University Press, 1938); A. W. Watts, *Psychotherapy East and West* (Nova York: Random House, 1975); D. T. Suzuki, *Introduction to Zen* (Nova York: Grove/Atlantic, 1987).

2. P. Yogananda, *Autobiography of* a *Yogi* (Los Angeles: Self Realization Fellowship, 1974); J. Krishnamurti, *Think on These Things* (Nova York: Random House, 1975); R. Dass, *Be Here Now* (San Cristobal, Novo México: Lama Foundation, 1971).
3. G. K. Chesterton, *St. Francis of Assisi* (Nova York: Doubleday, 1987); M. Eckhart, *Treatises and Sermons of Meister Eckhart* (Nova York, Hippocrene, 1983); E. Swedenborg, *Scientific and Philosophical Treatises* (West Chester, Pa.: Swedenborg Foundation, 1991); E. Bucke, *Cosmic Consciousness* (Secaucus, Nova Jersey: Carol Publishing Group, 1969).
4. S. P. Springer e G. Deutsch, *Left Brain, Right Brain* (Nova York: W. H. Freeman, 1981).
5. M. Murphy, *Golf in the Kingdom* (Nova York: Penguin Books, 1972).
6. A. W. Watts, *Way of Zen* (Nova York: Mentor/New American Library, 1957); *Wisdom of Insecurity* (Nova York: Random House, 1968).

CAPÍTULO 7

1. J. Hillman, *O Código do Ser* (Ed. Objetiva, 1996).
2. D. Gaines, *Teenage Wasteland: America's Dead End Kids* (Nova York: HarperCollins, 1992).
3. M. Williamson, *A Return to Love* (Nova York: HarperCollins, 1992).
4. B. Weiss, *Many Lives, Many Masters* (Nova York: Simon & Shuster, 1988).
5. W. W. Dyer, *What Do You Really Want for Your Children?* (Nova York: William Morrow, 1985).

CAPÍTULO 8

1. C. Sagan, *A Demon Haunted World* (Nova York: Random House, 1995).
2. M. Murphy, *The Future of the Body*, Appendix A (Los Angeles: J. P. Tarcher, 1992).
3. K. Horney, *The Neurotic Personality of Our Time* (Nova York: W. W. Norton, 1993).

4. P. Koch-Sheras, *Dream Sourcebook: An Eye Opening Guide to Dream History, Theory and Interpretation* (Los Angeles: Lowell House, 1995).
5. Murphy, *The Future of the Body.*
6. S. MacLaine, *Out on a Limb* (Nova York: Bantam,1993).
7. Murphy, *The Future of the Body.*
8. V. Frankl, *Man's Search for Meaning* (Nova York: Buccaneer, 1993).

CAPÍTULO 9

1. M. McLuhan, *The Medium Is the Message* (Nova York: Simon & Schuster, 1989).
2. M. Buber, *I and Thou* (Nova York: Simon & Schuster, 1984).
3. M. Shaw, *Group Dynamics* (Nova York: McGraw-Hill, 1980).
4. B. Stokes, *Helping Ourselves: Local Solutions to Global Problems* (Nova York: Norton, 1981).
5. J. Sanford, *Invisible Partner* (Mahwah, N. J.: Paulist Press, 1980).
6. M. Beattie, *Codependent No More* (Nova York: Harper-Hazelden, 1987).
7. H. Hendrix, *Getting the Love You Want* (Nova York: HarperCollins, 1990); *Keeping the Love You Find* (Nova York: Pocket, 1993).
8. H. Schucman e W. Thetford, *A Course in Miracles* (Glen Ellen, Califórnia: Foundation for Inner Peace, 1976).

CAPÍTULO 10

1. C. Fillmore, *Prosperity* (Lee's Summit, Mo.: Unity, 1995); *Atom Smashing Power of the Mind* (Lee's Summit, Mo.: Unity, 1995); N. Hill, *Master Key to Riches* (Nova York: Fawcett, 1986); *You Can Work Your Own Miracles* (Nova York: Fawcett, 1996); N. V. Peale, *In God We Trust* (Nashville, Tenn.: Thomas Nelson, 1995); *God's Way to the Good Life* (New Canaan, Conn: Keats, 1974).
2. J. Rifkin, *The End of the Work* (Nova York: J. P. Tarcher/Putnam, 1995).
3. *Wall Street Journal*, "Work & Family", suplemento especial, 31 de março de 1997.
4. E. F. Mallove, "Is New Physics Needed", *Infinite Energy Magazine*, novembro/dezembro de 1996.

5. W. Greider, *One World, Ready or Not* (Nova York: Simon & Schuster, 1997).
6. R. Gerber, *Vibrational Medicine* (Santa Fé, Novo México: Bear & Co., 1988).
7. M. Murphy, *The Future of the Body* (Los Angeles: J. P. Tarcher, 1992).

CAPÍTULO 11

1. Pesquisa Gallup, 1991 (Roper Center, Universidade de Connecticut).
2. K. Ring, *Heading toward Omega* (Nova York: Quill/William Morrow, 1984); M. Morse, *Transformed by the Light* (Nova York: Ballantine/Random House, 1992).
3. Morse, *Transformed by the Light.*
4. E. Becker, *Escape from Evil* (Nova York: Free Press, 1985).
5. R. A. Monroe, *Journeys out of the Body* (Nova York: Anchor/Doubleday, 1977).
6. R. Montgomery, *A World Beyond* (Nova York: Fawcett Crest/Ballantine, 1985).
7. Ring, *Heading toward Omega.*
8. I. Stevenson, *Children Who Remember Previous Lives* (Charlottesville, Va.: University Press, 1987).
9. B. Weiss, *Many Lives, Many Masters* (Nova York: Simon & Schuster, 1988).

CAPÍTULO 12

1. M. Ivins, "Long and Short of Corporate Welfare", *Minneapolis Star Tribune,* 1º de dezembro de 1994.
2. D. Boyett, "Summit May Point toward Better Future", *Orlando Sentinel,* 27 de abril de 1997.
3. M. F. Pols, "City Officials Encourage Efforts for Community Based Policing", *Los Angeles Times,* 17 de janeiro de 1995.
4. P. Hawken, *The Ecology of Commerce* (Nova York: HarperBusiness, 1993).
5. S. Gilbert, "America Tackles the Pesticide Crisis", *New York Times,* 8 de outubro de 1989.
6. A. Weil, *Optimum Health* (Nova York: Knopf, 1997).

7. T. P. Healy, "Dividends Reaped from Investing in Environment", *Indianapolis Star*, 6 de outubro de 1996.
8. American Holistic Medical Association, Raleigh, Carolina do Norte; American Association of Naturopathic Physicians, Seattle; Canadian Naturopathic Association, Etobicoke, Ontário; Physicians' Association for Anthroposophical Medicine, Portland, Oregon; Weleda, Inc., Congers, Nova York; World Research Foundation, Sherman Oaks, Califórnia.
9. Anthroposophical Society in America, Chicago; Envision Associates, Chestnut Ridge, Nova York; ADR Options, Filadélfia; Coast to Coast Mediation Center, Encinitas, Califórnia.
10. B. e J. Guggenheim, *Hello from Heaven* (Nova York: Bantam, 1995).

markgraph
Rua Aguiar Moreira, 386 - Bonsucesso
Tel.: (021) 564.1056 Telefax.: (021) 270.9656
Rio de Janeiro - RJ